Gérard Roland

# Stations de métro

RATP

Christine Bonneton Editeur

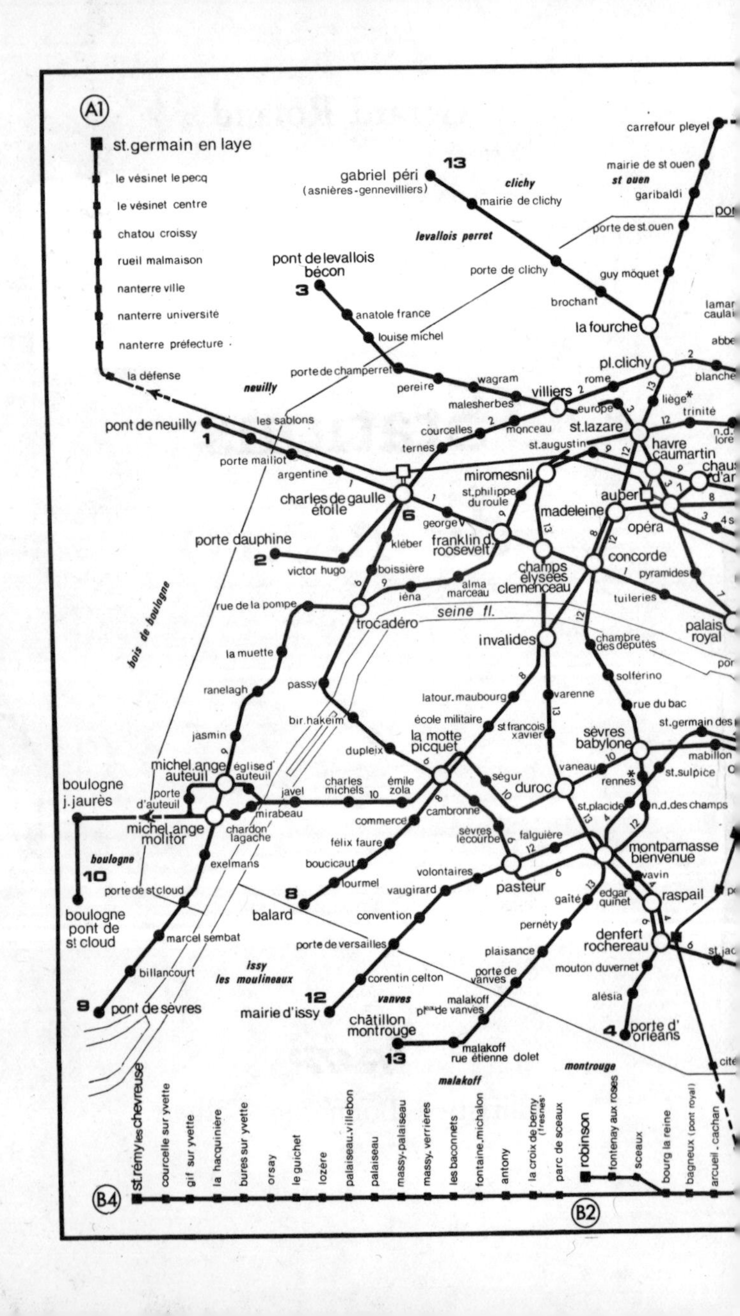

A1
st.germain en laye
le vésinet le pecq
le vésinet centre
chatou croissy
rueil malmaison
nanterre ville
nanterre université
nanterre préfecture
la défense
neuilly
pont de neuilly
1
les sablons
porte maillot
argentine
charles de gaulle étoile
6
porte dauphine
2
victor hugo
kléber
boissière
iéna
trocadéro
rue de la pompe
la muette
ranelagh
jasmin
bois de boulogne
michel.ange auteuil
église d' auteuil
porte d'auteuil
michel.ange molitor
boulogne j.jaurès
boulogne
10
chardon lagache
mirabeau
exelmans
porte de st cloud
boulogne pont de st cloud
marcel sembat
billancourt
9
pont de sèvres
issy les moulineaux
gabriel péri
(asnières-gennevilliers)
13
clichy
mairie de clichy
levallois perret
pont de levallois bécon
3
anatole france
louise michel
porte de champerret
pereire
wagram
malesherbes
villiers
porte de clichy
brochant
la fourche
guy môquet
porte de st.ouen
garibaldi
st ouen
mairie de st ouen
carrefour pleyel
pl.clichy
blanche
rome
europe
liège*
trinité
st.lazare
courcelles
monceau
ternes
st.augustin
havre caumartin
miromesnil
st.philippe du roule
george V
franklin d. roosevelt
madeleine
auber
opéra
concorde
pyramides
tuileries
palais royal
champs elysées clemenceau
alma marceau
seine fl.
invalides
chambre des députés
solférino
rue du bac
st.germain des
varenne
latour.maubourg
école militaire
st francois xavier
passy
bir.hakeim
dupleix
la motte picquet
sèvres babylone
mabillon
st.sulpice
vaneau
rennes*
ségur
duroc
st.placide
n.d.des champs
javel
charles michels
émile zola
cambronne
commerce
félix faure
sèvres lecourbe
falguière
montparnasse bienvenue
vavin
boucicaut
lourmel
8
balard
volontaires
pasteur
vaugirard
convention
gaîté
edgar quinet
raspail
pernéty
denfert rochereau
porte de versailles
plaisance
mouton duvernet
corentin celton
porte de vanves
alésia
12
mairie d'issy
vanves
malakoff plateau de vanves
châtillon montrouge
malakoff rue étienne dolet
porte d' orléans
4
montrouge
malakoff
B4
st.rémy les chevreuse
courcelle sur yvette
gif sur yvette
la hacquinière
bures sur yvette
orsay
le guichet
lozère
palaiseau.villebon
palaiseau
massy-palaiseau
massy. verrières
les baconnets
fontaine.michalon
antony
la croix de berny (fresnes)
parc de sceaux
robinson
fontenay aux roses
sceaux
bourg la reine
bagneux (pont royal)
arcueil . cachan
B2

RATP
réseau ferré
GC.1903

17, av. Th.-Gautier, 75016 PARIS
ISBN 2-86253.014.X

*Peut-être utilisez-vous le Chemin de Fer Métropolitain, plus communément appelé « Métro », pour vous rendre à votre travail ou pour vos loisirs, comme 4 millions de personnes chaque jour. N'y a-t-il rien de plus pratique, en effet, qu'un tel mode de transport dont les arrêts ne sont, en moyenne, distants que d'un peu plus de 500 mètres ?*

*Un jour ou l'autre, vous vous êtes sans doute demandé la signification du nom de votre station ou d'un certain nombre d'autres. Victor Hugo ou Emile Zola n'ont de secret pour personne, mais en est-il de même pour Chardon-Lagache ou Pelleport ?*

*Certes, dans la quasi-totalité des cas, les stations de métro portent le nom des monuments ou rues qu'elles desservent, mais cela ne fait que déplacer le problème, sans le résoudre. Afin de répondre à cette curiosité bien légitime, nous avons donc cru utile d'écrire ce* petit dictionnaire des stations de métro. *Nous ne traiterons, pour l'instant, que des stations du Paris intra-muros ou situées dans la proche banlieue. N'y figurent donc pas les arrêts de grande banlieue, ni ceux du Réseau Express Régional. A l'inverse, les quel-*

*ques gares du RER situées à Paris seront mentionnées.*

*Ce petit livre ne se veut pas un ouvrage technique évoquant les méthodes de construction du réseau ou les caractéristiques détaillées du matériel roulant, mais il se voudrait une évocation d'un monde, en grande partie souterrain, un peu mystérieux parfois, pour celui devant qui défilent ces îlots de lumière que sont les stations et dont certaines ont été le théâtre d'événements ou d'anecdotes que nous avons voulu vous remettre en mémoire ou vous faire découvrir.*

*Alors ! En voiture, et bon voyage à travers l'histoire, la géographie, les arts et les lettres de Paris, de Province et d'Ailleurs !*

*Nous remercions les lecteurs qui ont pris la peine de nous écrire pour nous signaler quelques coquilles et erreurs ponctuelles. Nous en avons tenu compte pour la présente édition.*

*Si vous releviez encore quelque inexactitude ou que vous soyez en possession d'anecdotes ou de renseignements concernant telle ou telle station et qui ne figureraient pas dans ce livre, faites-nous-en part. Nous nous ferons un plaisir de rectifier et de compléter ce volume lors d'une éventuelle édition ultérieure.*

*Les cartes postales anciennes qui illustrent cet ouvrage font partie de la collection de l'auteur. Elles donnent peut-être à ce « dico » sur le « métro » un petit côté « rétro », mais chacun a la nostalgie qu'il peut !*

# Le métro de Paris : aperçu historique

L'idée d'un réseau ferré métropolitain en « site propre », comme disent les urbanistes, n'est pas nouvelle. Dès 1855, MM. Brame et Eugène Flachat (déjà constructeur du chemin de fer Paris-Saint-Germain) présentèrent un mémoire concernant la réalisation d'un tunnel souterrain reliant les Halles Centrales à la proche banlieue d'alors et destiné à faciliter le trafic des marchandises. Mais il fallut attendre près d'un demi-siècle avant que ne soit ouverte, le 1er juillet 1900, la première ligne de métro Porte de Vincennes - Porte Maillot, comportant dix-huit stations réparties sur les 10,3 km du parcours.

Pendant ce temps, d'autres villes du monde se dotaient de ce moyen de transport moderne : Londres en 1863, New York cinq ans plus tard, Chicago en 1892 et Budapest en 1896.

Il est vrai que la France voyait s'opposer, d'une part, les tenants d'un réseau souterrain et ceux d'un parcours aérien, d'autre part, les intérêts de l'Etat et ceux de la Municipalité parisienne, déjà !

De nombreux projets virent le jour en cette seconde moitié du XIXe siècle : projet Le Hir (souterrain) quelques mois après celui de Flachat, plusieurs projets soutenus par le baron Haussmann, mais mis en sommeil par la guerre de 1870, projet aérien de l'ingénieur Chrétien en 1881, ceux de Soulié en 1883 et Garnier en

1885, ce dernier comportant des voies superposées !

Les partisans du métro aérien mettaient en avant le faible coût de réalisation, le peu de problèmes techniques posés, le faible encombrement des chantiers. Leurs opposants, dont Victor Hugo, reprochaient aux viaducs de dénaturer les perspectives des monuments parisiens, et ajoutaient que le bruit occasionné par le passage des rames serait nuisible.

Mais c'est le projet Soulié qui fit éclater au grand jour l'opposition entre l'Etat et la Ville de Paris.

L'Etat désirait un métro d'intérêt général, permettant le raccordement des différentes gares de chemin de fer existantes et leur prolongement dans Paris. La Municipalité, au contraire, souhaitait une ligne d'intérêt local, de faible gabarit, à stations rapprochées. Au-delà de cette opposition de principe, c'était aussi un problème de financement, de contrôle des tracés et des travaux qui était posé.

L'insuffisance des transports de surface et la proximité de l'ouverture de l'Exposition Universelle de 1900 hâtèrent le processus et firent pencher la balance en faveur de la thèse de la Ville. Le 22 novembre 1895, le ministre des Travaux publics d'alors, Louis Barthou, reconnaissait l'intérêt local du métro, et la loi du 30 mars 1898 déclarait d'utilité publique la construction d'un premier réseau de six lignes souterraines, de 65 km, à traction électrique.

Le principe retenu fut celui d'un partage des tâches. Les frais d'infrastructures (tunnels, viaducs, stations et quais) seraient supportés par la Ville de Paris, et financés par un emprunt; les charges des superstructures, c'est-à-dire les accès, la voie, le matériel roulant par l'entreprise concessionnaire.

Six candidatures furent déposées au cours de 1897, parmi lesquelles on retint celle de la « Compagnie générale de traction » présidée par Edouard Empain. Cette société devint, par la suite, anonyme, sous le nom de « Compagnie de chemin de fer métropolitain de Paris » (C.M.P.).

Après discussion, l'écartement des voies fut fixé à 1,44 m, la largeur des voitures à 2,40 m et la circulation à droite. Ceci permettait des frais de terrassement moins élevés, des courbes à plus faible rayon et avait l'avantage d'interdire ainsi la circulation des trains « classiques » !

Nous ne rentrerons pas ici dans les détails de la construction, mais nous considérons, avec le recul du temps, que Fulgence Bienvenüe et ses collaborateurs réalisèrent un véritable tour de force. Franchir plusieurs fois la Seine, faire se croiser plusieurs lignes comme à Opéra et à République, passer sous la Butte Montmartre, dans les carrières d'Amérique à l'est de Paris, sous le chemin de fer d'Orléans ou au-dessus de ceux du Nord et de l'Est, voilà qui ne mérite que des éloges ! Une biographie viendra peut-être un jour rendre un dernier hommage au « Père du métro ». (Pour de plus amples renseignements sur Fulgence Bienvenüe, voir dans le dictionnaire à la station Montparnasse-Bienvenüe.

Devant le succès de ce nouveau moyen de transport en commun, rapide et économique (0,15 F, soit 3 sous, la place en « seconde », et 0,25 F en première), 30 000 tickets furent vendus le premier jour et près de 16 millions pour les cinq premiers mois d'exploitation ! On envisagea, dès 1901, un réseau complémentaire, toujours souterrain, qui ne vit le jour, si l'on peut dire, qu'en 1910.

Une autre concession fut attribuée, en 1903, à la Société Berlier-Janicot devenue ultérieurement « le Nord-Sud » (N.S.). Elle exploitait deux lignes dénommées « A » et « B », correspondant, grosso modo, aux lignes 12 et 13.

Bien qu'ayant souffert des inondations de 1910, cinq lignes en plus de la ligne 1 étaient achevées en 1914 (2, 4, 5, 6 et 13) et trois partiellement (3, 7 et 12).

Malgré la guerre, on travailla tout de même à l'achèvement de la ligne 12 et au prolongement de la ligne 7.

L'entre-deux-guerres vit en 1930 la fusion des deux sociétés : C.M.P. et N.S., ce qui favorisa de nouveaux prolongements (7, 8, 9, 10) et le franchissement des limites de Paris en 1934, vers le Pont de Sèvres, Vincennes et Issy. Mais les conséquences de la « crise » entraînèrent, le 12 décembre 1938, la création d'un Comité des Transports et ralentirent la réalisation de certaines lignes (5, 6 et 8) jusqu'en 1942.

La Libération, période de la plus intense utilisation du réseau avec 1,6 milliard d'usagers, chiffre jamais atteint depuis, permit quelques travaux jusqu'en 1952 dont certains commencés avant la fin du conflit (prolongement de la L. 13 à carrefour Pleyel), et la création dès le 1er janvier 1949 de la Régie Autonome des Transports Parisiens (RATP). Mais à partir de 1952, une période de stabilité d'une quinzaine d'années s'ouvrit alors. Ce n'est que depuis 1967 que de nouveaux tronçons ont été construits. En particulier entre 1970 et juin 1980, dix-huit stations nouvelles furent livrées aux usagers sur 23 km de ligne, dont 11 souterrains. La RATP, poussée par les nouvelles formes d'urbanisation, développe par ailleurs un réseau à plus grande distance de Paris, avec des arrêts plus espacés : le RER.

Les commodités présentées par ce mode de transport urbain incitèrent plusieurs villes de France à construire « leur » métro : Marseille et Lyon ont déjà le leur, Lille aussi, depuis peu.

D'autres villes du monde ont réalisé, ou envisagent de réaliser, des travaux similaires : Montréal, Santiago-du-Chili, Mexico, Le Caire, Téhéran, Rio de Janeiro, Washington...

Le métro est donc un vieillard plein d'avenir dont nous allons maintenant parcourir les lignes.

# Les différentes lignes

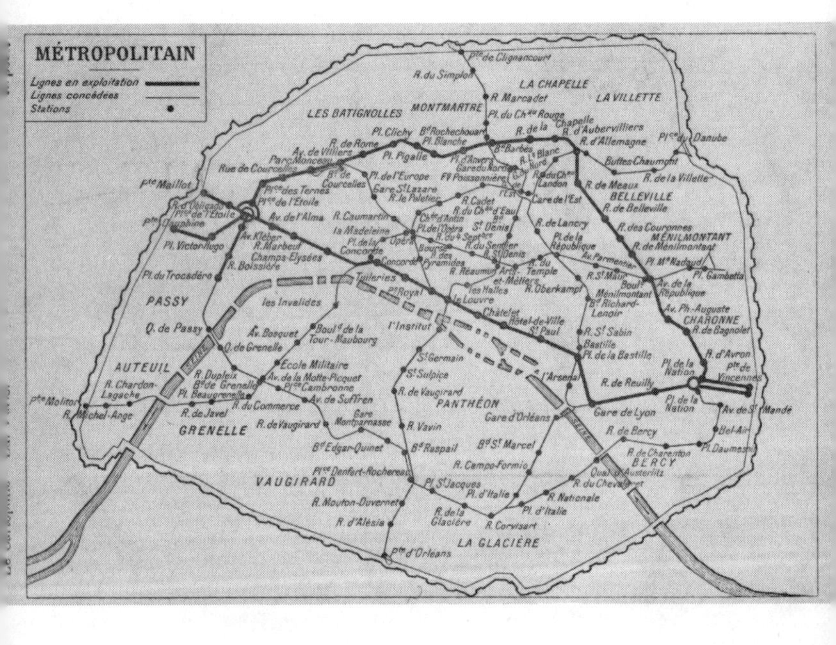

# Quelques précisions

Treize lignes indépendantes numérotées de 1 à 13, plus deux navettes autonomes les 3 *bis* et 7 *bis,* se partagent les 188,5 km du réseau dont 14,9 km aériens et 30,1 km hors de Paris.

Entre les différents tronçons existent cependant des raccordements de lignes non ouverts au public ainsi qu'une navette, Pré-Saint-Gervais - Porte des Lilas ouverte le 27 novembre 1921 et fermée en 1938 (réouverte quelque temps dans les années 50) et où eurent lieu de nombreux essais tels ceux du métro sur pneus, du pilotage automatique dont sont équipées aujourd'hui toutes les lignes, sauf les 10, 3 *bis* et 7 *bis.*

La ligne 13 comporte deux terminus, l'un à Saint-Denis-Basilique, l'autre à Gabriel-Péri - Asnières - Gennevilliers. Deux lignes, la 10 et la 7 *bis,* font une boucle sur elles-mêmes. Enfin, les lignes 1, 2, 5, 6, 8 et 13 sont en partie aériennes.

Chaque ligne comporte en moyenne 23 à 24 stations, mais les deux plus longues la 8 et le 9 en desservent 37 et les deux plus courtes les lignes 3 *bis* et 7 *bis,* ont respectivement 4 et 8 gares.

Sauf exception, qu'elles soient transversales, radiales ou semi-circulaires, les lignes suivent, grosso modo, le trajet des chaussées de surface.

Mais il a fallu tout de même résoudre le difficile problème de la traversée de la Seine que le métro franchit dix fois. Quatre fois par voie aérienne : au viaduc d'Austerlitz, œuvre de l'architecte Formigé (ligne 5), au viaduc de Bercy qui relie les stations « Quai de la Gare » et « Bercy » sur la ligne 6 et par le viaduc de Passy à l'ouest, entre « Bir-Hakeim » et « Passy », sur la ligne 6 également, au viaduc de Clichy au nord, entre Mairie de Clichy et Gabriel-Péri - Asnières - Gennevilliers sur la ligne 13. Par contre, six franchissements ont été réalisés par un tunnel : à Cité et Saint-Michel (ligne 4), en aval du Pont Mirabeau (ligne 10), entre le Pont de la Concorde et le Pont Alexandre-III, puis entre ce même Pont de la Concorde et le Pont de Solférino (ligne 12) et, sur la ligne 7, entre le Pont d'Austerlitz et le Pont Sully. Le dernier tunnel en date relie les Invalides aux Champs-Elysées, pour le raccordement de l'ex-ligne 14 à la ligne 13. La ligne 8 traverse aussi la Marne grâce à un viaduc.

Quatre lignes (1, 4, 6 et 11) sont entièrement équipées de matériel sur pneus. Mais cet équipement sophistiqué était long à installer, compte tenu de l'arrêt du trafic à peine plus de quatre heures chaque nuit (de 1 h 15 à 5 h 30) et fort coûteux. La RATP en est donc venue à utiliser un matériel moderne, mais sur rails, le MF 67 qui équipe entièrement la ligne 3 et partiellement les lignes 2, 5, 7, 8, 9, 10, 12. Des voitures MF 77, encore plus modernes, équipent entièrement la ligne 13 et sont en voie d'introduction sur les lignes 7 et 8.

Ceci permet de transporter tous les jours plus de 4 millions de voyageurs, soit plus de 1 milliard par an dans des conditions d'autant plus aisées que sur dix lignes les rames ont un départ programmé (1, 2, 3, 4, 5, 7, 8, 9, 12, 13).

# Ligne 1

## Pont de Neuilly - Château de Vincennes *

Cette ligne fut, comme son numéro l'indique, la première à être construite, divisée en onze lots ; les cinq premiers chantiers ouvrirent le 7 septembre 1898, les six suivants les 13 et 14 septembre de la même année. Il ne fallut que vingt-deux mois aux 2 000 terrassiers, déblayant 1 000 m³ de terre par jour, pour mener à bien le percement des 10,3 km du tracé desservi par dix-huit stations.

Actuellement, elle fait 14,6 km dont 3,3 km hors Paris et 0,1 km en parcours aérien (une station). Elle est la seconde ligne la plus chargée du réseau, avec 112 millions de voyageurs an-

* *C. = Correspondance.*
*L. = Ligne.*

nuels, et on envisage de la prolonger vers la Défense.

Depuis le 28 décembre 1964, toutes les rames qui circulent sont sur pneus (la 1re date du 30 mai 1963). Le pilotage automatique (1er avril 1972) et les départs programmés ont permis de réduire par 11 le retard moyen (2 mn contre 22 mn).

**Historique de la ligne**

19- 7-1900 : Vincennes - Maillot 10,328 km
24- 3-1934 : Porte de Vincennes - Château de Vincennes 2,293 km
15-11-1936 : Déplacement de « Maillot » 0,278 km
29- 4-1937 : Porte Maillot - Pont de Neuilly 1,741 km

**Stations desservies**

1 — Pont de Neuilly
2 — Les Sablons
3 — Porte Maillot
4 — Argentine
5 — Charles-de-Gaulle -Etoile (C. avec L. 2, 6 et RER)
6 — Georges V
7 — Franklin-Roosevelt (C. avec L. 9)
8 — Champs-Elysées - Clemenceau (C. avec L. 13)
9 — Concorde (C. avec L. 8, 12)

10 — Tuileries
11 — Palais-Royal (C. avec L. 7)
12 — Louvre
13 — Châtelet (C. avec L. 4, 7 et 11)
14 — Hôtel de Ville (C. avec L. 11)
15 — Saint-Paul (Le Marais)
16 — Bastille (C. avec L. 5 et 8)
17 — Gare de Lyon
18 — Reuilly - Diderot (C. avec L. 8)
19 — Nation (C. avec L. 2, 6, 9 et RER)
20 — Porte de Vincennes
21 — Saint-Mandé - Tourelle
22 — Bérault
23 — Château de Vincennes

## Ligne 2

## Nation - Porte Dauphine

La RATP envisageait de mettre les 12,3 km de cette ligne sur pneus afin de diminuer le bruit lors du passage aérien (2,2 km, 4 stations).

**Historique de la ligne**

13-12-1900 : Etoile - Dauphine 1,574 km
7-10-1902 : Etoile - Anvers 4,005 km
31- 1-1903 : Anvers - Bagnolet 5,577 km
2- 4-1903 : Bagnolet - Nation 1,165 km

**Stations desservies**

1 — Porte Dauphine (Maréchal de Lattre-de-Tassigny)
2 — Victor-Hugo
3 — Charles-de-Gaulle - Etoile (C. avec L. 1, 6 et RER)
4 — Ternes
5 — Courcelles
6 — Monceau
7 — Villiers (C. avec L. 3)
8 — Rome
9 — Place de Clichy (C. avec L. 13)
10 — Blanche
11 — Pigalle (C. avec L. 12)
12 — Anvers
13 — Barbès-Rochechouart (C. avec L. 4)
14 — La Chapelle
15 — Stalingrad (C. avec L. 5 et 7)
16 — Jaurès (C. avec L. 5 et 7)
17 — Colonel-Fabien
18 — Belleville (C. avec L. 11)
19 — Couronnes
20 — Ménilmontant
21 — Père-Lachaise (C. avec L. 3)
22 — Philippe-Auguste
23 — Alexandre-Dumas
24 — Avron
25 — Nation (C. avec L. 1, 6, 9 et RER)

# Ligne 3
# Pont de Levallois - Gallieni

Le premier train, matériel fer MF 67, y a circulé le 22 décembre 1967. Equipée du pilotage automatique depuis le 15 juillet 1973, elle parcourt 11,7 km dont 1,3 hors Paris. Le dernier prolongement vers Gallieni a pour but le désengorgement de la place Gambetta et la desserte des autobus de la Gare routière de la Porte de Bagnolet et du parking situé au bout de l'autoroute A 3.

**Historique de la ligne**

19-10-1904 : Villiers - Père-Lachaise 6,034 km
25- 1-1905 : Père-Lachaise - Gambetta 0,968 km
23- 5-1910 : Villiers - Péreire 1,287 km
15- 2-1911 : Péreire - Porte Champerret 0,487 km
27-11-1921 : Gambetta - Porte des Lilas 1,366 km
24- 9-1937 : Porte Champerret - Pont de Levallois - Bécon 1,679 km
2- 4-1971 : Gambetta - Gallieni (Parc de Bagnolet) 1,360 km

**Stations desservies**

1 — Pont de Levallois - Bécon
2 — Anatole-France

3 — Louise-Michel
4 — Porte de Champerret
5 — Péreire
6 — Wagram
7 — Malesherbes
8 — Villiers (C. avec L. 2)
9 — Europe
10 — Saint-Lazare (C. avec L. 12 et 13)
11 — Havre - Caumartin (C. avec L. 9)
12 — Opéra (C. avec L. 7 et 8)
13 — Quatre-Septembre
14 — Bourse
15 — Sentier
16 — Réaumur - Sébastopol (C. avec L. 4)
17 — Arts et Métiers (C. avec L. 11)
18 — Temple
19 — République (C. avec L. 5, 8, 9 et 11)
20 — Parmentier
21 — Saint-Maur
22 — Père-Lachaise (C. avec L. 2)
23 — Gambetta (C. avec L. 3 *bis*)
24 — Porte de Bagnolet
25 — Gallieni (Parc de Bagnolet)

# Ligne 3 bis
# Gambetta - Porte des Lilas

La plus courte ligne du réseau avec 4 stations et 1,3 km est autonome depuis le 2 avril 1971. Elle fonctionne sous forme de navette (c'est le même train qui fait l'aller et le retour). L'ancien matériel Sprague-Thomson vient d'être retiré.

**Stations desservies**

1 — Gambetta (C. avec L. 3)
2 — Pelleport
3 — Saint-Fargeau
4 — Porte des Lilas (C. avec L. 11)

# Ligne 4
## Porte de Clignancourt - Porte d'Orléans

Achevée en 1914 (10,6 km), elle était en 1979 la plus chargée avec 139 millions environ de voyageurs transportés.

Depuis août 1967, toutes les rames, de six voitures, sont sur pneus, la première ayant roulé le 3 octobre 1966. Le pilotage automatique fonctionne depuis le 14 février 1971.

Il paraîtrait que les Académiciens français obtinrent, lors des discussions du tracé, un détour de la ligne, car ils ne désiraient pas que celle-ci passe sous leurs pieds ! Peut-être craignaient-ils d'être dérangés dans leur réflexion...

La station « Saint-Michel » nécessita la congélation du sol à la saumure de chlorure de sodium à moins 20 degrés, car le sol était spongieux.

Des prolongements vers Montrouge puis Bagneux sont prévus.

**Historique de la ligne**

21- 4-1908 : Clignancourt - Châtelet 5,014 km
30-10-1909 : Raspail - Porte d'Orléans 1,741 km
9- 1-1910 : Châtelet - Raspail 3,880 km
3-10-1977 : Déviation sur 330 mètres et construction de la station « Les Halles » en correspondance avec « Châtelet - Les Halles » du RER

**Stations desservies**

1 — Porte de Clignancourt
2 — Simplon
3 — Marcadet - Poissonniers (C. avec L. 12)
4 — Château-Rouge
5 — Barbès - Rochechouart (C. avec L. 2)
6 — Gare du Nord (C. avec L. 5)
7 — Gare de l'Est (Verdun) (C. avec L. 5 et 7)
8 — Château d'Eau
9 — Strasbourg - Saint-Denis (C. avec L. 8 et 9)

10 — Réaumur - Sébastopol (C. avec L. 3)
11 — Etienne-Marcel
12 — Les Halles (RER)
13 — Châtelet (C. avec L. 1, 7, 11 et RER)
14 — Cité
15 — Saint-Michel
16 — Odéon (C. avec L. 10)
17 — Saint-Germain-des-Prés
18 — Saint-Sulpice
19 — Saint-Placide
20 — Montparnasse - Bienvenüe (C. avec L. 6, 12 et 13)
21 — Vavin
22 — Raspail (C. avec L. 6)
23 — Denfert-Rochereau (C. avec L. 6 et RER)
24 — Mouton-Duvernet
25 — Alésia
26 — Porte d'Orléans (Général Leclerc)

## Ligne 5
## Place d'Italie - Eglise de Pantin

Elle parcourt 14,6 km dont 1,2 km par voie aérienne (deux stations) et 4,4 km hors Paris.

Juste avant le Pont d'Austerlitz existe le fameux *« toboggan »* qui a une déclivité de 4 centimètres par mètre et 75 mètres de rayon.

**Historique de la ligne**

2-10-1900 : Etoile - Trocadéro 1,427 km
6-11-1903 : Trocadéro - Passy 0,740 km
24- 4-1906 : Passy - Place d'Italie 6,652 km
(Tronçons rattachés ensuite à la ligne n° 6).

| | | |
|---|---|---|
| 2- 6-1906 | : | Place d'Italie - Austerlitz 1,554 km |
| 14- 7-1906 | : | Austerlitz - La Rapée 1,154 km |
| 17-12-1906 | : | Austerlitz - Lancry * 3,837 km |
| 15-11-1907 | : | Lancry * - Gare du Nord 1,187 km |
| 17- 5-1931 | : | Nouvelle exploitation Gare du Nord - Place d'Italie |
| 6-12-1931 | : | Exploitation Gare du Nord-Etoile |
| 6-10-1942 | : | Nouvelle station Gare du Nord 0,125 km |
| 12-10-1942 | : | Gare du Nord - Eglise de Pantin 4,499 km<br>Nouvelle exploitation Place d'Italie - Eglise de Pantin |
| 25-04-1985 | : | Eglise de Pantin - Bobigny-Pablo-Picasso 3,425 km |

**Stations desservies**

1 — Place d'Italie (C. avec L. 6 et 7)
2 — Campo-Formio
3 — Saint-Marcel
4 — Gare d'Austerlitz (C. avec L. 10)
5 — Quai de la Rapée

* *Aujourd'hui Jacques-Bonsergent.*

6 — Bastille (C. avec L. 1 et 8)
7 — Bréguet-Sabin
8 — Richard-Lenoir
9 — Oberkampf (C. avec L. 9)
10 — République (C. avec L. 3, 8, 9 et 11)
11 — Jacques-Bonsergent
12 — Gare de l'Est (Verdun) (C. avec L. 4 et 7)
13 — Gare du Nord (C. avec L. 4)
14 — Stalingrad (C. avec L. 2 et 7)
15 — Jaurès (C. avec L. 2, 7 et 7 *bis*)
16 — Laumière
17 — Ourcq
18 — Porte de Pantin
19 — Hoche
20 — Eglise de Pantin
21 — Bobigny-Pantin-Raymond-Queneau
22 — Bobigny-Pablo-Picasso (Préfecture, Hôtel du Département)

## Ligne 6

## Nation - Charles-de-Gaulle - Etoile

Dernière ligne (13,6 km) à avoir été équipée en juillet 1974 de rames sur pneus. Comme elle est aérienne sur 6,1 km (13 stations), la piste de roulement en bois est striée, afin d'améliorer l'adhérence en cas de pluie ou de verglas.

En pilotage automatique depuis le 1er février 1975.

**Historique de la ligne**

Pour les premiers tronçons, voir ligne 5.

1- 3-1909 : Nation - Place d'Italie
17- 5-1931 : Nouvelle exploitation Nation - Etoile
6-12-1931 : Nation - Place d'Italie
12-10-1942 : Nation - Etoile

**Stations desservies**

1 — Charles-de-Gaulle - Etoile (C. avec L. 1 et 2)
2 — Kléber
3 — Boissière
4 — Trocadéro (C. avec L. 9)
5 — Passy
6 — Bir-Hakeim (Grenelle)
7 — Dupleix
8 — La Motte-Picquet (Grenelle) (C. avec L. 8 et 10)
9 — Cambronne
10 — Sèvres - Lecourbe
11 — Pasteur (C. avec L. 12)
12 — Montparnasse - Bienvenüe (C. avec L. 4, 12 et 13)
13 — Edgar-Quinet
14 — Raspail (C. avec L. 4)
15 — Denfert-Rochereau (C. avec L. 4 et RER)
16 — Saint-Jacques

17 — Glacière
18 — Corvisart
19 — Place d'Italie (C. avec L. 5 et 7)
20 — Nationale
21 — Chevaleret
22 — Quai de la Gare
23 — Bercy
24 — Dugommier
25 — Daumesnil (C. avec L. 8)
26 — Bel-Air
27 — Picpus (Courteline)
28 — Nation (C. avec L. 1, 2, 9 et RER)

*PARIS. — Travaux du chemin de fer Métropolitain, Ligne n° 6, Cours de Vincennes-Place d'Italie.*
*Tablier du Viaduc construit sur le Pont de Bercy*

# Ligne 7

## Mairie d'Ivry - Fort d'Aubervilliers

2000 PARIS. — Travaux souterrains du Chemin de Fer MÉTROPOLITAIN. Ligne n
Ouvrage d'épanouissement en tête de la Station de la Chaussée-d'Antin

C'est l'une des trois lignes les plus longues avec 33 stations depuis le dernier prolongement ouvert à la fin de 1979 vers Fort-d'Aubervilliers, ce qui porte la ligne à 17,7 km dont 3,87 hors

Paris. Quatrième ligne la plus chargée avec 99 millions de voyageurs transportés, elle est équipée en matériel MF 67 depuis le 14 juin 1971 et en pilotage automatique depuis le 1$^{er}$ juillet 1977. *Prolongement envisagé :* De Fort-d'Aubervilliers à La Courneuve - Quatre-Routes.

**Historique de la ligne**

| | |
|---|---|
| 5-11-1910 : | Porte de la Villette - Opéra 5,452 km |
| 18- 1-1911 : | Pré-Saint-Gervais - Louis-Blanc 3,059 km |
| 1- 7-1916 : | Opéra - Palais-Royal 0,893 km |
| 16- 4-1926 : | Palais-Royal - Pont Marie 1,915 km |
| 3- 6-1930 : | Pont Marie - Sully-Morland 0,496 km |
| 26- 4-1931 : | Porte de Choisy - Porte d'Ivry 0,946 km, nouvelle exploitation Sully-Morland - Monge 1,359 km |
| 1- 5-1946 : | Porte d'Ivry - Mairie d'Ivry 1,559 km |
| 10-1979 : | Porte de la Villette - Fort-d'Aubervilliers 2,375 km |

La section Jussieu - Porte de Choisy a été temporairement raccordée à la ligne 10 de 1930 à 1931 en attendant le franchissement de la Seine.

**Stations desservies**

1 — Mairie d'Ivry
2 — Pierre Curie
3 — Porte d'Ivry
4 — Porte de Choisy
5 — Porte d'Italie

*a* - Villejuif-Louis Aragon
*b* - Villejuif
Paul Vaillant-Couturier
(Hôpital Paul Brousse)
*c* - Villejuif-Léo-Lagrange
*d* - Le Kremlin-Bicêtre

6 — Maison Blanche
7 — Tolbiac
8 — Place d'Italie (C. avec L. 5 et 6)
9 — Les Gobelins
10 — Censier - Daubenton
11 — Monge
12 — Jussieu (C. avec L. 10)
13 — Sully-Morland
14 — Pont Marie (Cité des Arts)
15 — Châtelet (C. avec L. 1, 4, 11 et RER)
16 — Pont Neuf
17 — Palais Royal (C. avec L. 1)
18 — Pyramides
19 — Opéra (C. avec L. 3 et 8)
20 — Chaussée d'Antin (C. avec L. 9)
21 — Le Peletier
22 — Cadet
23 — Poissonnière
24 — Gare de l'Est (Verdun) (C. avec L. 4 et 5)
25 — Château-Landon

26 — Louis Blanc (C. avec L. 7 *bis*)
27 — Stalingrad (C. avec L. 2 et 5)
28 — Riquet
29 — Crimée
30 — Corentin Cariou
31 — Porte de la Villette
32 — Aubervilliers - Pantin - Quatre Chemins
33 — Fort d'Aubervilliers

## Ligne 7 bis

## Louis Blanc - Pré-Saint-Gervais

Seconde ligne la plus courte avec 8 stations, dont 4 en boucle, et 3,1 km. Elle est devenue autonome de la ligne 7, le 3 décembre 1967. Le matériel Sprague-Thomson a été retiré en 1981.

**Stations desservies**

1 — Louis Blanc (C. avec L. 7)
2 — Jaurès (C. avec L. 2 et 5)
3 — Bolivar
4 — Buttes-Chaumont
Boucle {
5 — Botzaris
6 — Place des Fêtes (C. avec L. 11)
7 — Pré-Saint-Gervais
8 — Danube
}

# Ligne 8

## Balard - Créteil Préfecture - Hôtel de Ville

La plus longue ligne du réseau, avec 22,1 km dont 7,417 hors Paris et 37 stations depuis ses prolongements successifs vers Créteil. Ceux-ci avaient pour objectif de désengorger le Pont de Charenton et de desservir la ville nouvelle de Créteil, préfecture du Val-de-Marne. Equipée en matériel MF 67 depuis le 11 juillet 1975, elle est, pour l'instant, la seule ligne du réseau qui franchisse la Marne (viaduc).

**Historique de la ligne**

13- 7-1913 : Beaugrenelle * - Opéra 4,660 km
30- 9-1913 : Beaugrenelle - Porte d'Auteuil 2,430 km
30- 6-1928 : Opéra - Richelieu - Drouot 0,535 km
5- 5-1931 : Richelieu - Drouot - Porte de Charenton (pour l'Exposition coloniale) 7,597 km
27- 7-1937 : La Motte-Picquet - Balard - Montparnasse - Duroc (nouvelle exploitation) 0,625 km

* *Aujourd'hui Charles-Michel.*

5-10-1942 : Porte de Charenton - Charenton-Ecoles 1,784 km

19- 9-1970 : Charenton-Ecoles - Maisons-Alfort-Stade 2,100 km

27- 4-1972 : Maisons-Alfort-Stade - Maisons-Alfort-Les Juilliottes 1,100 km

26- 9-1973 : Maisons-Alfort-Les Juilliottes - Créteil-L'Echat - Henri Mondor 1,100 km

10- 9-1974 : Créteil-L'Echat - Créteil-Préfecture (Hôtel de Ville) 1,975 km

**Stations desservies**

1 — Balard
2 — Lourmel
3 — Boucicaut
4 — Félix Faure
5 — Commerce
6 — La Motte-Picquet-Grenelle (C. avec L. 6 et 10)
7 — Ecole militaire
8 — La Tour-Maubourg
9 — Invalides (C. avec L. 13)
10 — Concorde (C. avec L. 1 et 12)
11 — Madeleine (C. avec L. 12)
12 — Opéra (C. avec L. 3 et 7)

13 — Richelieu - Drouot (C. avec L. 9)
14 — Rue Montmartre (C. avec L. 9)
15 — Bonne Nouvelle (C. avec L. 9)
16 — Strasbourg - Saint-Denis (C. av. L. 4 et 9)
17 — République (C. avec L. 3, 5, 9 et 11)
18 — Filles du Calvaire
19 — Saint-Sébastien - Froissart
20 — Chemin-Vert
21 — Bastille (C. avec L. 1 et 5)
22 — Ledru-Rollin
23 — Faidherbe - Chaligny
24 — Reuilly - Diderot (C. avec L. 1)
25 — Montgallet
26 — Daumesnil (Félix-Eboué) (C. avec L. 6)
27 — Michel Bizot
28 — Porte Dorée
29 — Porte de Charenton
30 — Liberté
31 — Charenton-Ecoles (Place Aristide-Briand)
32 — Alfort - Ecole vétérinaire
33 — Maisons-Alfort-Stade
34 — Maisons-Alfort-Les Juilliottes
35 — Créteil-L'Echat (Hôpital Henri-Mondor)
36 — Créteil Université
37 — Créteil Préfecture (Hôtel de Ville)

# Ligne 9

## Pont de Sèvres - Mairie de Montreuil

Deuxième ligne la plus longue : 19,6 km dont 4 km hors Paris, après la ligne 8, mais qui comprend le même nombre de stations : 37. Première ligne avec prolongement en banlieue en 1934 et troisième ligne la plus chargée avec 107 millions de voyageurs transportés.

*Prolongement prévu : vers Rosny-sous-Bois.*

**Historique de la ligne**

8-11-1922 : Exelmans - Trocadéro 3,480 km
27- 5-1923 : Trocadéro - Saint-Augustin 3,310 km
3- 6-1923 : Saint-Augustin - Chaussée d'Antin 0,884 km
29- 9-1923 : Exelmans - Porte de Saint-Cloud 0,514 km
30- 6-1928 : Chaussée d'Antin - Richelieu - Drouot 0,357 km
10-12-1933 : Richelieu - Drouot - Porte de Montreuil 6,430 km
3- 2-1934 : Porte de Saint-Cloud - Pont de Sèvres 2,103 km
14-10-1937 : Porte de Montreuil - Mairie de Montreuil 2,481 km

**Stations desservies**

1 — Pont de Sèvres
2 — Billancourt
3 — Marcel Sembat
4 — Porte de Saint-Cloud
5 — Exelmans
6 — Michel-Ange - Molitor (C. avec L. 10)
7 — Michel-Ange - Auteuil (C. avec L. 10)
8 — Jasmin
9 — Ranelagh
10 — La Muette
11 — Rue de la Pompe (av. Georges-Mandel)
12 — Trocadéro (C. avec L. 6)
13 — Iéna
14 — Alma-Marceau
15 — Franklin-D.-Roosevelt (C. avec L. 1)
16 — Saint-Philippe-du-Roule
17 — Miromesnil (C. avec L. 13)
18 — Saint-Augustin
19 — Havre-Caumartin (C. avec L. 3)
20 — Chaussée d'Antin (C. avec L. 7)
21 — Richelieu-Drouot (C. avec L. 8)
22 — Rue Montmartre (C. avec L. 8)
23 — Bonne Nouvelle (C. avec L. 8)
24 — Strasbourg - Saint-Denis (C. avec L. 4 et 8)
25 — République (C. avec L. 3, 5, 8 et 11)

26 — Oberkampf (C. avec L. 5)
27 — Saint-Ambroise
28 — Voltaire (Léon-Blum)
29 — Charonne
30 — Rue des Boulets - Rue de Montreuil
31 — Nation (C. avec L. 1, 2, 6 et R.E.R.)
32 — Buzenval
33 — Maraîchers
34 — Porte de Montreuil
35 — Robespierre
36 — Croix-de-Chavaux (Jacques-Duclos)
37 — Mairie de Montreuil

# Ligne 10

## Gare d'Austerlitz - Porte d'Auteuil

Ligne de 11,3 km de long, équipée en matériel fer moderne depuis le 26 mai 1975.

Dans l'ouest de Paris, la ligne fait une boucle comportant 6 stations et qui permet de franchir la Seine une seule fois au Pont Mirabeau.

*Prolongements prévus :* du côté de la Gare d'Austerlitz, vers la Porte d'Ivry.

**Historique de la ligne**

30-12-1923 : Invalides - Croix-Rouge *
2,850 km

10- 3-1925 : Croix-Rouge * - Mabillon 0,385 km

14- 2-1926 : Mabillon - Odéon 0,502 km

15- 2-1930 : Odéon - Place d'Italie 2,793 km

7- 3-1930 : Place d'Italie - Porte d'Italie 1,850 km

26- 4-1931 : Maubert - Mutualité - Jussieu (nouvelle exploitation) 0,843 km

29- 7-1937 : La Motte-Picquet - Duroc 1,513 km

12- 7-1939 : Jussieu - Austerlitz 1,026 km

3-10-1980 : Porte d'Auteuil - Boulogne Jean-Jaurès 1,7 km

2-10-1981 : Boulogne Jean-Jaurès - Boulogne Pont de Saint-Cloud 0,860 km

**Stations desservies**

1 — Gare d'Austerlitz (C. avec L. 5)
2 — Jussieu (C. avec L. 7)
3 — Cardinal Lemoine
4 — Maubert-Mutualité
5 — Cluny-La Sorbonne
6 — Odéon (C. avec L. 4)
7 — Mabillon
8 — Sèvres-Babylone (C. avec L. 12)
9 — Vaneau
10 — Duroc (C. avec L. 13)

* *Station aujourd'hui fermée.*

11 — Ségur
12 — La Motte-Picquet-Grenelle (C. avec L. 6 et 8)
13 — Avenue Emile-Zola

Boucle:
14 — Charles-Michels
15 — Javel-André-Citroën
16 — Eglise d'Auteuil
17 — Michel-Ange - Auteuil (C. avec L. 9)
18 — Porte d'Auteuil
19 — Michel-Ange - Molitor (C. avec L. 9)
20 — Chardon - Lagache

21 — Mirabeau
22 — Boulogne - Jean Jaurès
23 — Boulogne - Pont de Saint-Cloud (Rhin et Danube)

# Ligne 11

## Mairie des Lilas - Châtelet

Troisième ligne la plus courte du réseau avec 13 stations et 6,3 km dont 0,495 hors Paris. Fermée pendant l'occupation, réouverte le 5 mars 1945, elle fut en quelque sorte une ligne d'expérimentation. En effet après des essais sur la navette Pré-Saint-Gervais - Porte des Lilas, elle vit la première rame sur pneus du réseau le 8 novembre 1956. Quelques mois plus tard le 13 octobre 1957, tous les trains de la ligne étaient équipés de ce type de voitures. Les pistes de roulement sont en azobé, un bois exotique très dur provenant du Cameroun. Elle fut ensuite en septembre 1964 la première à recevoir, sur deux trains, la conduite automatique, généralisée ensuite sur la ligne, en 1967, puis sur d'autres lignes.

Prolongement prévu vers Romainville.

**Historique de la ligne**

28- 4-1935 : Porte des Lilas - Châtelet
5,497 km

17- 2-1937 : Porte des Lilas - Mairie des Lilas
0,788 km

**Stations desservies**

1 — Châtelet (Avenue Victoria) (C. avec L. 1, 4 et 7 et R.E.R.)

2 — Hôtel de Ville (C. avec L. 1)
3 — Rambuteau
4 — Arts et Métiers (C. avec L. 3)
5 — République (C. avec L. 3, 5, 8 et 9)
6 — Goncourt (Hôpital Saint Louis)
7 — Belleville (C. avec L. 2)
8 — Pyrénées
9 — Jourdain
10 — Place des Fêtes (C. avec L. 7)
11 — Télégraphe
12 — Porte des Lilas (C. avec L. 3)
13 — Mairie des Lilas

## Ligne 12

### Mairie d'Issy - Porte de la Chapelle

Septième ligne la plus chargée avec 77 millions de voyageurs, elle comporte 13,9 km dont 1,190 hors de Paris. Elle est équipée du pilotage automatique depuis le 22 décembre 1977.

**Historique de la ligne**

5-11-1910 : Porte de Versailles - N.-D. de Lorette 7,959 km
8- 4-1911 : N.-D. de Lorette - Pigalle 0,886 km
31-10-1912 : Pigalle - Jules Joffrin 1,510 km
23- 8-1916 : Jules Joffrin - Porte de la Chapelle 1,916 km

1- 1-1930 : Porte de Versailles (nouveaux quais) - Porte de la Chapelle 0,125 km
24- 3-1934 : Porte de Versailles - Mairie d'Issy 1,490 km

**Stations desservies**

1 — Mairie d'Issy
2 — Corentin Celton
3 — Porte de Versailles
4 — Convention
5 — Vaugirard (Adolphe Chérioux)
6 — Volontaires
7 — Pasteur (C. avec L. 6)
8 — Falguière
9 — Montparnasse - Bienvenüe (C. avec L. 4, 6 et 13)
10 — Notre-Dame-des-Champs
11 — Rennes
12 — Sèvres-Babylone (C. avec L. 10)
13 — Rue du Bac
14 — Solférino
15 — Chambre des Députés
16 — Concorde (C. avec L. 1 et 8)
17 — Madeleine (C. avec L. 8)
18 — Saint-Lazare (C. avec L. 3 et 13)
19 — Trinité-d'Estiennes d'Orves
20 — Notre-Dame-de-Lorette
21 — Saint-Georges

22 — Pigalle (C. avec L. 2)
23 — Abbesses
24 — Lamark-Caulaincourt
25 — Jules Joffrin
26 — Marcadet-Poissonniers (C. avec L. 4)
27 — Marx Dormoy
28 — Porte de la Chapelle

# Ligne 13

## St-Denis Basilique - Châtillon-Montrouge

Seule ligne, avec la 7, comportant en fait 2 terminus, elle a englobé l'ex-ligne 14 (ouverte le 21 janvier 1937, 2,317 km de Porte de Vanves à Montparnasse-Bienvenüe), avec ses prolongements au nord vers Saint-Denis et Asnières - Gennevilliers, au sud vers Châtillon-Montrouge. Elle fait maintenant 21 km dont 9,700 hors de Paris et est en correspondance avec toutes les autres lignes sauf la 5, la 7 et la 11. Equipée du premier train articulé le 24 février 1952, elle a bénéficié du matériel MF 67 le 29 novembre 1974, puis du MF 77 le 27 septembre 1978.

Prolongements envisagés : de Châtillon-Montrouge vers Châtillon 2, puis Vélizy (1990). Ultérieurement au nord, de Saint-Denis-Basilique vers Stains, au nord-est vers Asnières-Gennevilliers 3.

**Historique de la ligne**

26- 2-1911 : Saint-Lazare - Porte de Saint-Ouen 2,483 km
20- 1-1912 : La Fourche - Porte de Clichy, 1,284 km
30- 6-1952 : Porte de Saint-Ouen - Carrefour Pleyel 2,741 km
27- 6-1973 : Gare Saint-Lazare - Miromesnil 0,983 km
18- 2-1975 : Miromesnil - Champs-Elysées - Clemenceau 0,760 km
20- 5-1976 : Carrefour Pleyel - Saint-Denis-Basilique (Hôtel de Ville) 2,369 km
9-11-1976 : Jonction Champs-Elysées - Clemenceau - Invalides (sous la Seine) raccordant ainsi les lignes 13 et 14 0,850 km
Porte de Vanves - Châtillon-Montrouge 4,610 km
9- 5-1980 : Porte de Clichy - Gabriel-Péri - Asnières - Gennevilliers 2,770 km

**Stations desservies**

1 — Saint-Denis-Basilique (Hôtel de Ville)
2 — Saint-Denis - Porte de Paris
3 — Carrefour Pleyel
4 — Mairie de Saint-Ouen
5 — Garibaldi

6 — Porte de Saint-Ouen
7 — Guy Môquet
8 — La Fourche
9 — Place de Clichy (C. avec L. 2)
10 — Liège
11 — Saint-Lazare (C. avec L. 12 et 3)
12 — Miromesnil (C. avec L. 9)
13 — Champs-Elysées - Clemenceau (C. avec L. 1)
14 — Invalides (C. avec L. 8)
15 — Varenne
16 — Saint-François-Xavier
17 — Duroc (C. avec L. 10)
18 — Montparnasse-Bienvenüe (C. avec L. 4, 6 et 12)
19 — Gaîté
20 — Pernety
21 — Plaisance
22 — Porte de Vanves
23 — Malakoff - Plateau de Vanves
24 — Malakoff - Rue Etienne Dolet
25 — Châtillon-Montrouge

et sur la ligne n° 13 *bis* :

8' — La Fourche
9' — Brochant
10' — Porte de Clichy
11' — Mairie de Clichy
12' — Gabriel Péri (Asnières - Gennevilliers)

# Dictionnaire des stations du métro de Paris

# Généralités

Le métro comporte **368*** points d'arrêts dont **87** correspondances (métro - RER - SNCF).

Si l'on compte les stations nominativement, le chiffre est de **293** dont **55** correspondances.

Cinq stations ont été, pour diverses raisons, fermées définitivement. Il s'agit de : « Arsenal », « Champ-de-Mars », « Croix-Rouge », « Saint-Martin », et « Martin-Nadaud », qui a disparu lors de la réorganisation de « Gambetta ». Quant à « Liège » et « Rennes », elles n'accueillent de voyageurs les jours ouvrables que de 5 h 30 à 20 heures.

Les stations, qui font 75, 90 ou 105 mètres de longueur (pour 81 d'entre elles), permettent l'arrêt de rames de 4, 5 ou 6 voitures selon les lignes et leur fréquentation.

L'intervalle entre chaque arrêt est de 543 mètres en moyenne. Le plus long, Bobigny - Pantin-Raymond-Queneau, fait tout de même 2 385 mètres. Le plus court jusqu'à ces dernières années était Martin-Nadaud - Gambetta, 226 mètres ! Aujourd'hui, la palme revient à Alésia - Mouton-Duvernet.

Enfin, 26 stations sont aériennes en même temps que souterraines sur une autre ligne, comme Barbès-Rochechouart par exemple.

* *Chiffres donnés au 1er février 1992.*

Au début de leur existence, les stations ont été décorées avec des carreaux blancs bien connus des utilisateurs du métro. Ces carreaux de faïence provenaient de l'Entreprise Boulanger, à Choisy-le-Roi, qui utilisait pour leur fabrication de la terre de la commune d'Orly, et plus tard de la Faïencerie de Giens, dans le Loiret.

Après une certaine période d'immobilisme, le besoin de rénover le stations s'est fait sentir, surtout depuis la Seconde Guerre mondiale. La première vague de rénovation des gares, couloirs et accès s'est déroulée de 1959 à 1965. En bénéficièrent les stations « Franklin-D.-Roosevelt » et « Opéra » auxquelles il faut ajouter 73 stations dont les murs furent garnis de lambrissages métalliques. Il faut faire une place à part à « Louvre », première station personnalisée en 1968. Cette station-musée a en quelque sorte servi de modèle à « Saint-Denis-Basilique » et « Varenne », récemment transformées. Une seconde vague de rajeunissement, à partir de 1970, a concerné 25 à 30 stations pour lesquelles on a utilisé le jaune orangé. Enfin, depuis 1973-1974, la rénovation porte sur l'introduction de six couleurs de base dont une seule est utilisée pour le traitement de chaque station.

Afin d'assurer de meilleurs services aux usagers, la RATP a aussi consenti de gros efforts d'installations d'ascenseurs, d'escaliers et de trottoirs roulants. En ce qui concerne les ascenseurs, il en existe 21 dans 10 stations : Saint-Michel, Cité, Buttes-Chaumont, Pré-Saint-Gervais, Pelleport,

Saint-Fargeau, Porte des Lilas, Jaurès, Lamarck-Caulaincourt, Abbesses. Des escaliers mécaniques au nombre de 387 desservent 161 stations. Il n'y en avait que 89 en 1968 ! Des trottoirs roulants de diverses longueurs ont aussi été installés à « Châtelet » (132 m), « Montparnasse-Bienvenüe » (185 m), « Opéra » et « Auber » ; le premier avait été installé à « Père-Lachaise » en 1909 ! D'autre part, du point de vue de l'information, 563 plans de quartier dans 119 stations et 91 plans indicateurs lumineux dans 79 stations permettent aux usagers de reconnaître leur chemin.

Quelques mots maintenant sur les accès, parties visibles en surface de « l'Iceberg Métro ».

Lors des premiers balbutiements du métro, un concours fut ouvert afin de trouver des architectes capables d'allier le beau à l'utilitaire. Il y eut en fait trois gagnants dont un certain Durray. Mais leurs projets, trop classiques, ne furent pas acceptés par les dirigeants de la CMP. On fit alors appel au talent de Jean-Camille Formigé dont les plans, bien reçus par la CMP, furent rejetés par la ville dont il était pourtant architecte. Il conçut cependant les stations aériennes. C'est alors que le président de la CMP, le banquier Adrien Benard, proposa un jeune maître de l'art nouveau, **Hector Guimard.** Ses projets plurent, et il réalisa un grand nombre (141) d'entourages d'accès et certains édicules en fonte moulurée dont seuls subsistent aujourd'hui ceux de « Porte Dauphine » et d' « Abbesses » (en fait celui d'« Hôtel de Ville » transplanté sur la Butte-Montmartre en 1970).

Après avoir déposé en raison de leur vétusté un certain nombre de ces accès, on s'aperçut qu'ils étaient les témoins d'un style et d'une époque, et sept d'entre eux eurent le privilège d'être classés en 1965 et 1970 : « Porte Dauphine » et « Abbesses » bien sûr, mais aussi « Pigalle », « Ternes », « Château d'Eau », « Tuileries » et « Cité ». On attendit huit ans pour classer à leur tour 14 des 83 stations Guimard subsistantes*. Mais les plus extravagantes, « Bastille », de style oriental, « Etoile », « Porte de Vincennes », « Gare de Lyon », « Monceau », « Nation », « Porte Maillot » ont disparu, du moins du domaine public, et il ne reste plus que les cartes postales anciennes pour nous les faire admirer.

Dès 1904, Guimard subit un certain nombre d'attaques de la part de ses détracteurs, en particulier à propos de la station « Opéra » pour laquelle on lui reprochait de dénaturer la perspective du Palais Garnier. C'est à **Cassien-Bernard** qu'on confia la tâche de respecter cette perspective ; ce qu'il fit grâce à des balustrades en pierre polie que

** Il a été fait don d'éléments d'entrées Guimard à divers musées (Museum of Modern Art de New York, Musée d'Art moderne de la ville de Paris, etc.). Une entrée Guimard a été offerte à la ville de Montréal où elle orne la station Victoria. Une autre entrée avait été montée dans le désert pour les pétroliers d'Hassi-Messaoud. Il est aujourd'hui possible d'acheter des copies de portiques d'accès du métro contre la coquette somme de quelques dizaines de milliers de francs.*

l'on retrouve à « République », et quelques autres stations : « Madeleine », « Gare de l'Est », « Concorde », « Champs-Elysées-Clemenceau ».

Ultérieurement, de nombreuses sorties seront réalisées par un autre architecte, **Dervaux,** qui, lui, utilisa le fer forgé pour les stations du Nord-Sud (à partir de 1914).

Notons aussi que les édicules en béton armé des stations « Pelleport », « Saint-Fargeau » et « Porte des Lilas » sont de **Christian Plumet** à qui revint, dans les années 20, la tâche de couvrir les accès et celle d'abriter la machinerie des ascenseurs de ces stations.

1. Légende :
*L = Ligne.*
*RER = Réseau express régional.*
*C = Correspondance.*
*p. = Page.*

2. *Nous avons adopté, pour des raisons de commodité, l'ordre alphabétique* ***du nom complet des stations,*** *c'est-à-dire que chaque station est classée, lorsqu'il s'agit d'un personnage par exemple, à la première lettre de son prénom ; ex. : Louise Michel est à L et non à M. De même pour les stations portant un nom d'édifice ; ex. : « Gare de Lyon » est à G.*

3. *Nous ne faisons figurer dans ce dictionnaire que les noms des stations se trouvant dans Paris intra-muros et dans la proche banlieue. Nous ne traiterons donc pas, pour l'instant, dans leur intégralité, certaines lignes, ni le Réseau express régional (RER) hormis les stations dans Paris.*

*Nous signalons aussi les anciens noms de certaines stations.*

## Abbesses (Ligne 12)

Ce nom évoque le souvenir de l'Abbaye des Dames de Montmartre, fondée par Louis le Gros en 1155, et dont la première abbesse fut Adélaïde. Le trésor de cette congrégation aurait été caché à la Révolution par Mme de Montmorency-Laval, guillotinée le 23 juillet 1794, dans la cave d'une maison dite « de la Folie Montigny ». Cette résidence appartenait au comte de Montigny, trésorier des Etats de Bourgogne, décapité lui aussi à cette époque. En 1846, on chercha, évidemment en vain, ce trésor.

C'est l'une des stations les plus profondes de Paris, les quais sont en effet à plus de 30 mètres au-dessous du niveau du sol. On y accède par un ascenseur parcourant 23,50 m de dénivellation. Cette gare est située dans un tunnel de plus de 900 mètres de long sous la Butte-Montmartre. L'entrée est abritée par le seul édicule d'Hector Guimard subsistant avec celui de « Porte Dauphine » (voir cette station). Cet accès était auparavant celui de la station « Hôtel de Ville ».

## Alésia (Ligne 4)

Nom de l'ancienne place forte gauloise où Vercingétorix dut se rendre à César après un siège de deux mois, en 52 avant Jésus-Christ. Malgré les nombreux renforts gaulois, les 80 000 fantassins et les 15 000 cavaliers de César remportèrent cette victoire qui marque le début de l'ère « gallo-romaine ». Cette citadelle dominait sans doute l'actuelle ville d'Alise-Sainte-Reine, sur le mont Auxois, en Côte-d'Or.

## Alexandre Dumas (Ligne 2)

Célèbre écrivain français (1802-1870), de son véritable nom Alexandre Davy de La Pailleterie. Clerc de notaire provincial, il « monte » à Paris, où il devient, par protection, employé au secrétariat du duc d'Orléans. Rongé par le démon du théâtre, il devient auteur dramatique, mais il est surtout connu pour ses romans à trame historique tels « Le Comte de Monte-Cristo », « Les Trois Mousquetaires » bien sûr, puis « Vingt ans après », publié l'année suivante, avec le sens du raccourci de l'histoire qui le caractérisait. Mais ne disait-il pas : « L'histoire ? Un clou auquel j'accroche mes romans. » Un peu aventurier comme ses personnages (ou l'inverse), il voyage. Il suivit même Garibaldi au cours de l'expédition des « Mille » en Sicile. Son fils illégitime, écrivain lui aussi, porta le même prénom d'où parfois une certaine confusion.

*Ancien nom* (jusqu'au 13 septembre 1970) : **Bagnolet** (voir Porte de Bagnolet).

## Alma-Marceau (Ligne 9)

Nom composé de :

A) **Alma :** rivière du sud de la Crimée, sur les rives de laquelle les Français sous les ordres du maréchal de Saint-Arnaud et les Anglais commandés par Lord Raglan (celui qui donna son nom à une forme d'emmanchure), pour une fois alliés, remportèrent la victoire sur les Russes, le 20 septembre 1854;

B) et de **Marceau** (François-Séverin Marceau Desgraviers dit) : né en 1769 à Chartres, il participa à la prise de la Bastille (voir cette station). De retour à Chartres, il devint capitaine de la Garde nationale. Il se distingua ensuite pendant la campagne de Vendée (1793), où il gagna ses galons de général, et dans l'Armée de Sambre-et-Meuse. Il fut tué en 1796 à Altenkirchen.

## Anatole France (Ligne 3)

De son véritable nom François-Anatole Thibault. Ecrivain français né à Paris en 1844, mort en 1924. Membre de l'Académie française, ses principales œuvres furent « La Rôtisserie de la reine Pédauque » (1893), les « Opinions de Jérôme Coignard » (1893), « L'Ile des Pingouins » (1908), « Les Dieux ont soif » (1912). Sa carrière a été couronnée par le Prix Nobel de Littérature en 1920.

## Anvers (Ligne 2)

Chef-lieu de la province belge d'Antwerpen, sur l'Escaut, à 88 km de la mer du Nord. C'est le troisième port européen. Célèbre par son industrie du diamant, elle fut aussi le siège des Jeux Olympiques de 1920. Depuis la fin du XVII^e^ siècle, elle a été le théâtre de nombreuses opérations militaires (françaises, hollandaises, allemandes). Patrie des deux Téniers, de Van Dyck, Snyders et Jordaens.

## Argentine (Ligne 1)

Etat qui occupe, avec le Chili, la partie méridionale de l'Amérique du Sud (2 780 000 km$^2$, 25 000 000 d'hab.). Buenos Aires, la capitale, est située dans l'est du pays, dans la Pampa. La partie sud du pays, la Patagonie, se termine par la Terre de Feu, dont la pointe extrême est le fameux Cap Horn.

*Ancien nom : Obligado* (jusqu'au 25 mai 1948).

Défilé où se réunissent avant de déboucher dans le Rio de la Plata, les eaux, jusque-là éparses, du Parana. Le 20 novembre 1845, une escadre franco-anglaise força ce passage que gardaient les troupes de Rosas, alors dictateur de la Plata.

## Arsenal (Ligne 5)

Station fermée depuis le 2 septembre 1939.

Endroit où étaient fabriqués les canons, la poudre et les armes pour la Ville de Paris, du début du XVIe siècle pour le roi François Ier, et jusqu'au règne de Louis XIV, où le bâtiment fut transformé en magasin. On y fondit ensuite de nombreuses statues. Un tribunal, créé par Louis XIII en 1631, y jugea le surintendant Fouquet (1661-1664) et y instruisit l'Affaire des Poisons (1680-1683).

## Arts et Métiers (Lignes 3 et 11)

Conservatoire National. A la fois Musée et Etablissement d'Enseignement Supérieur Technique, créé sur proposition de l'abbé Grégoire, par un décret de la Convention du 19 vendémiaire an 3, c'est-à-dire le 10 octobre 1794 et installé dans l'ancien prieuré de Saint-Martin-des-Champs.

## Assemblée Nationale

(voir **Chambre des Députés**)

## Auber (RER)

Compositeur français, né à Caen en 1782, mort en 1871 et enterré au Père-Lachaise (voir cette station). Il fut directeur du Conservatoire de Musique en 1842, où il succéda à Chérubini, après avoir été directeur des Concerts de la Cour. Auteur de nombreux opéras dont « La Muette de Portici », « Le Domino noir », « Haydée », « Fra Diavolo », « Rêve d'amour », etc.

Cette station, décorée par l'architecte Wagenscki, a 228 mètres de long, 39 de large, est entièrement immergée dans la nappe phréatique, mais le béton est étanche ! Elle a été le siège de nombreuses expositions : escrime, aviron, cancer... une en particulier fut consacrée à Rubens, pour la commémoration des quatre cents ans de sa naissance. Quatre trottoirs roulants de 86 mètres de long la relient à la station « Opéra ».

## Avron (Ligne 2)

Petit plateau de la région Est de Paris situé de nos jours sur le territoire de la commune de Rosny-sous-Bois dans la Seine-Saint-Denis. Ses dimensions approximatives sont de 2 kilomètres et demi de long, sur 1 kilomètre de large, pour une altitude moyenne d'environ 100 mètres. Ce plateau joua un grand rôle lors de la défense de Paris au cours de la guerre de 1870. Durement bombardé le 26 décembre de cette année-là, il dut être évacué le lendemain pour laisser la place aux troupes prussiennes.

## Balard (Ligne 8)

Antoine Jérôme, né en 1802 à Montpellier, décédé en 1876 à Paris. Chimiste français qui découvrit le brome (Br) en 1826 et tira le sulfate de sodium de l'eau de mer. Admis à l'Académie des Sciences en 1844.

## Barbès-Rochechouart (Lignes 2 et 4)

Nom composé de :

A) **Barbès** Armand (1809-1870), né à Pointe-à-Pitre (Guadeloupe). Ce révolutionnaire français ne représenta le peuple qu'une seule année en 1848. En effet, il fut incarcéré de 1839 à 1848, Victor Hugo ayant obtenu que sa condamnation à mort soit transformée en peine de prison, puis transféré de 1849 à 1854, à Belle-Ile-en-Mer. Gracié par Napoléon III, il acheva sa vie en exil volontaire à La Haye aux Pays-Bas. Surnommé le « Bayard de la Démocratie ».

B) et de **Rochechouart.** C'est le nom de l'abbesse Marguerite de Rochechouart de Montpipeau, qui dirigea l'Abbaye de Montmartre de 1717 à 1727, au temps des difficultés financières et monétaires dues à la banqueroute de Law.

Mais cette station (double), c'est-à-dire aérienne sur la ligne 2 et souterraine sous la ligne 4, est surtout célèbre pour diverses raisons :

C'est là qu'eut lieu le 10 août 1903 le début de la plus grande catastrophe du Métropolitain. Un wagon prit feu et croyant l'avoir éteint, on renvoya la rame vide vers le terminus. Mais l'incendie reprit à Ménilmontant (voir cette station) et les fumées asphyxièrent plus de 80 personnes à la station Couronnes (voir celle-ci).

C'est aussi dans cette station que Fabien (voir Colonel-Fabien) abattit un soldat allemand, ouvrant ainsi la voie à la résistance armée contre l'occupant en 1941.

C'est enfin dans une reproduction de cette station aux Studios de Joinville que Marcel Carné tourna son film « Les Portes de la nuit ».

## Bastille (Lignes 1, 5 et 8)

Forteresse élevée de 1369 à 1382 pour défendre Paris. Elle devint le symbole de l'arbitraire royal, car on pouvait y être incarcéré sur une simple lettre de cachet. C'est pourquoi la prise de la Bastille par les manifestants parisiens le 14 juillet 1789 apparaît comme une revanche sur le pouvoir absolu. La Fête Nationale instituée en ce jour, en 1879 commémore cet épisode de la Révolution Française.

Lors de la construction de la station, on a retrouvé les fondations de la Tour de la Liberté, l'une des huit tours de la Bastille. Ces assises ont été remontées dans le square qui fait face au Pont Henri-IV, mais leurs traces ont été conservées sur les quais de la gare.

On a retrouvé aussi en 1905, à 8 mètres de profondeur, une statuette funéraire en terre cuite, dite d'Osiris, de 17 centimètres de haut. Les raisons de sa présence en ce lieu et son origine ont prêté à diverses interprétations.

173. - PARIS. - Une Gare du Métropolitain (Bastille)

## Bel Air (Ligne 6)

Nom d'un lieudit (1844) peut-être dû au fait que l'air y était d'une qualité particulière. D'autres endroits portent aussi ce nom dans la région parisienne, par exemple dans le Bois de Meudon. Une bataille du Bel-Air opposa, dans la région du Mans, les Français et les Prussiens le 16 décembre 1870.

Station fermée pendant la Seconde Guerre mondiale, réouverte en 1963.

## Belleville (Lignes 2 et 11)

Ancienne commune vallonnée de l'arrondissement de Saint-Denis, annexée à Paris en 1860, et constituant les XIXe et XXe arrondissements. Peuplée de vignerons et de jardiniers, elle fut un lieu de villégiature pour les Parisiens d'alors. Ceci a bien changé de nos jours !

La signification même du nom de Belleville ne semble poser aucun problème.

## Berault (Ligne 1)

Michel, ancien vigneron, élu député en 1787 et adjoint au maire de la commune de Vincennes.

## Bercy (Ligne 6)

Village situé en dehors des limites de Paris au XVII^e^ siècle et rattaché à la ville en 1859. Célèbre depuis 1819 pour ses entrepôts où transitaient de grandes quantités de vin. Un ensemble sportif de haut standing a été construit sur leur emplacement : le Palais Omnisport Paris-Bercy.

## Billancourt (Ligne 9)

Ancien village sur la Seine, faisant partie de la commune de Boulogne. Célèbre du fait de l'implantation de la Régie Nationale des Usines Renault (RNUR).

## Bir-Hakeim-Grenelle

(Ligne 6 et RER)

**Bir-Hakeim :** Poste fortifié de Libye, à 60 kilomètres de Tobrouk, où la Brigade française du général Kœnig résista pendant seize jours (du 26 mai au 11 juin 1942) aux attaques des troupes mécanisées du général Rommel, surnommé le « Renard du Désert ». Ce haut fait permit la retraite des Britanniques jusqu'à El-Alamein.

**Grenelle :** Ancien domaine dépendant au Moyen Age des abbayes de Sainte-Geneviève et de Saint-Germain. A sans doute porté successivement les noms de Garanella, Garnelles, Guarnelles, Guernelles. Tous ces noms sont dérivés du mot Garenne, c'est-à-dire lieu de prédilection des lapins. Cette étendue a été lotie en 1823.

*Ancien nom : Quai de Grenelle* (jusqu'au 18 juin 1949).

## Blanche (Ligne 2)

Cette station se trouve sur la place qui porte ce nom, car, au XVIIe siècle, y passaient les voitures chargées de plâtre, provenant des carrières de Montmartre, alors très actives.

## Boissière (Ligne 6)

Nom dû au souvenir d'une croix à laquelle il était d'usage de suspendre un bouquet de buis le jour des Rameaux. Le lexicographe Jean-Baptiste Boissière (1806-1855), auteur d'un « Dictionnaire analogique de la langue française », en est donc pour ses frais !

## Bolivar (Ligne 7)

Simon, né à Caracas en 1783 et décédé en 1830. Ce général américain, surnommé le « Libérateur », a été le principal héros de la guerre d'Indépendance des colonies espagnoles d'Amérique du Sud. Il affranchit en effet, de 1816 à 1825 : le Venezuela, la Colombie, l'Equateur, le Pérou. Mais il ne parvint pas à réaliser son rêve, unifier l'Amérique latine, comme son modèle Napoléon avait fait de l'Europe.

Cette station a été le cadre d'une tragédie, le 12 mars 1918.

Elle servait d'abri à la population du voisinage. Mais lors d'un bombardement, alors que les gens curieux regardaient cette « nouveauté », les bombes se rapprochèrent. La foule se précipita dans la station dans le plus grand désordre, piétinant ainsi un grand nombre de gens qui moururent étouffés ou écrasés. Il y eut 66 victimes dont 29 femmes et 30 enfants.

## Bonne Nouvelle (Lignes 8 et 9)

Doit son nom à la proximité de l'église Notre-Dame-de-Bonne-Nouvelle. Construite en 1624-

1628 sur l'instigation d'Anne d'Autriche en remplacement de la chapelle Sainte-Barbe, démolie lors du siège de Paris par Henri IV.

## Botzaris (Ligne 7 *bis*)

Marcos, né à Soulis en 1788, l'un des chefs de la Guerre d'Indépendance grecque. Il défendit avec acharnement la ville de Missolonghi, en 1823 et succomba la même année à Karpenisi, face aux Turcs qui avaient déjà assassiné son père. Victor Hugo fit l'honneur des « Orientales » à celui que l'on avait surnommé « l'Aigle de Seleïde ».

## Boucicaut (Ligne 8)

Aristide (1810-1877), né à Bellème en Normandie, négociant, fondateur des grands magasins « Au Bon Marché ». Secondé par sa femme, Marguerite, née Guérin, à qui l'on doit par ailleurs la fondation d'un hôpital (1897).

## Boulets-Montreuil (Ligne 9)

Nom composé de :

A) **Boulets** : lieudit sur le plan de Rochefort au XVII^e^ siècle. Son origine est incertaine. Ce nom provient peut-être d'un souvenir des guerres civiles du XVIe siècle;

B) **Montreuil** : commune de l'Est parisien, dont l'origine remonte au XIIe siècle. Ancien village agricole, situé à environ 120 mètres d'altitude, ses jardins étaient renommés pour les fruits en particulier les pêches. De nos jours, cette commune s'est convertie à l'industrie. Elle possédait un château détruit pendant la guerre de 1870.

## Bourse (Ligne 3)

Edifice construit par Th. Brongniart et Labasse de 1808 à 1827.

Lieu où se réunissent, sauf samedi et dimanche, de 12 à 14 heures, les agents de change, leurs fondés de pouvoir et commis, afin de déterminer les cours des valeurs mobilières (actions, obligations, titres de rentes).

Les femmes sont depuis quelques années admises dans ce « temple » de l'argent qui leur était jadis interdit.

## Bréguet-Sabin (Ligne 5)

Nom composé de :

A) **Bréguet,** Abraham-Louis, né en Suisse en

1747. Son petit-fils Jean (1804-1883) a été l'un des collaborateurs de Claude Chappe, pour son télégraphe aérien (voir station « Télégraphe »). Le petit-fils de Jean Bréguet, Louis (1880-1955) fut l'un des premiers constructeurs d'avions français;

B) et de **Sabin,** Charles-Pierre Angelesme de Saint-Sabin, échevin de Paris en 1777.

## Brochant (Ligne 13)

De Villiers, André, François, Marie.

Géologue et minéralogiste français né en 1772 à Villiers, près de Mantes, et mort à Paris en 1840. Directeur de la Manufacture de glaces de Saint-Gobain et membre de l'Académie des Sciences (1816). Conseiller au Parlement.

## Buttes-Chaumont (Ligne 7 *bis*)

Parc créé par le baron Haussmann et aménagé en 1866-1867 par Alphand et Barillet, sur des hauteurs dénudées appelées Monts Chauves, d'où Chaumont, d'une centaine de mètres d'altitude, faisant partie des collines de Belleville.

La bataille de Paris, le 30 mars 1814, le ravagea.

Jusqu'en 1865, ces collines servaient de carrières dites d'Amérique, compte tenu de la destination du plâtre qui y était extrait, et aussi de décharge publique.

La construction posa donc des problèmes en raison des nombreux éboulements qui eurent lieu.

Les quais de la station sont à 31 mètres de profondeur, et les ascenseurs permettent de parcourir plus de 28,70 m (les plus profonds du réseau).

Elle fut transformée, du fait de sa profondeur protectrice, en salle d'opération par les Allemands, au cours de la dernière guerre.

## **Buzenval** (Ligne 9)

Nom d'un hameau et d'un château situés entre Rueil-Malmaison et Garches. Dans ses alentours eut lieu une sévère bataille contre les Prussiens le 19 janvier 1871, au cours de laquelle périrent le peintre Jean-Baptiste Regnault, l'explorateur Gustave Lambert, le colonel de Rochebrune et bien d'autres.

Entrée de la station en rez-de-chaussée d'immeuble.

## Cadet (Ligne 7)

De Gassicourt, famille de chimistes et d'agronomes français des XVIIIe et XIXe siècles : Louis-Claude (1731-1799), Alexis-François (1743-1828). L'un des fils, Charles-Louis (1769-1821), fut aussi chef libéral sous la Restauration.

Ce pourrait être aussi le nom d'une famille de jardiniers vivant dans les parages.

## Cambronne (Ligne 6)

Pierre, Jacques, Etienne, Vicomte, né en 1770 à Saint-Sébastien, en Loire-Atlantique. Ce général français, qui accompagna Napoléon Ier dans son séjour à l'île d'Elbe (1814), est connu pour son héroïsme à Waterloo (juin 1815), mais aussi, dit-on, par un mot, célèbre entre tous, de la langue française ! Mort en 1842 à Nantes.

## Campo Formio (Ligne 5)

Petite ville d'Italie dans la province d'Udine (Vénétie) qui vit la signature d'un traité de paix entre la France et l'Autriche en 1797. Bonaparte y obtint la Belgique, les Iles Ioniennes et la rive gauche du Rhin, contre l'Istrie, la Dalmatie et une partie de la Vénétie.

L'escalier de cette station fut endommagé par les bombes allemandes en 1918.

## Cardinal Lemoine (Ligne 10)

Fait cardinal par Boniface VIII dont il fut le légat (représentant) en France. Lors des démêlés avec Philippe le Bel, Lemoine (nom prédestiné !) fonda en 1302 un collège proche de la Sorbonne, détruit à la Révolution. Son corps repose en Avignon, où la papauté s'était installée.

## Carrefour Pleyel (Ligne 13)

D'Ignace Pleyel ; né à Rupperstal, près de Vienne, en 1757, ce compositeur fonda à Paris, en 1807, une fabrique de pianos. A sa mort, en 1831, son fils Camille (1788-1855) lui succéda et épousa la pianiste Marie Moke (1811-1875).

## Censier-Daubenton (Ligne 7)

Nom composé de :

A) **Censier** : déformation des noms, Sancier, Censée, Sancée, sans chef (sans tête), car c'était à l'origine une rue en cul-de-sac, s'ouvrant dans la rue Mouffetard, au sud de l'église Saint-Médard;

B) **Daubenton :** Louis, Jean-Marc d'Aubenton voit le jour à Montbard en 1716 (Côte-d'Or). Ce naturaliste français collabora avec Buffon pour son « Histoire Naturelle ». Il introduisit en France le mouton de race mérinos. Il mourut d'apoplexie au cours de la seule séance du Sénat à laquelle il assista en tant qu'élu en 1799.

*Ancien nom : Censier-Daubenton - Halles aux cuirs* (jusqu'en août 1965).

Bâties à la fin du XIIIe siècle sur l'emplacement de l'Hôpital des Cent Filles (orphelinat), ces halles ne furent guère utilisées par les tanneurs et mégissiers installés sur les bords de la Bièvre.

Un certain Harding y installa un dépôt de tramways à vapeur jusqu'en 1880. Elles servirent ultérieurement d'entrepôt de denrées alimentaires et disparurent dans un incendie en 1906.

## Chambre des Députés (Ligne 12)

(voir **Assemblée Nationale**)

Edifice recevant dans son hémicycle les débats, parfois houleux, des hommes politiques de tous partis élus par les Français.

Son nom date de la Restauration. Aujourd'hui : Assemblée nationale. L'autre Chambre est le Sénat. Elles constituent ensemble le Parlement Français.

## Champ de Mars (Ligne 8 et RER)

Station de métro fermée le 2 septembre 1939. Aujourd'hui station du RER.

Grand terrain situé face à l'Ecole militaire (voir cette station) utilisé comme champ de manœuvres de 1770 à 1789 (Mars était le dieu de la Guerre chez les Romains).

Cet emplacement servit ensuite au déroulement de la Fête de la Fédération (15 juillet 1790) et aux Expositions Universelles de 1867, 1878, 1889, 1900 et 1937.

C'est aussi là que se dresse la Tour Eiffel.

## Champs-Elysées-Clemenceau

(Lignes 1, 13)

Nom composé de :

A) **Champs-Elysées** : séjour des âmes vertueuses dans la mythologie antique. C'est l'une des avenues les plus prestigieuses du monde;

B) **Clemenceau** (Georges) : né en 1841 à Mouilleron-en-Parèds (Vendée). Député en 1876, sénateur en 1802, cet ardent polémiste participa à toutes les grandes crises de la vie politique française. Président du Conseil de 1906 à 1909, puis de 1917 à 1920, sa conduite de la guerre lui valut le surnom de « Tigre ». Après s'être vu préférer Paul Deschanel comme Président de la République en 1920, il se retira de la vie publique et poursuivit son œuvre d'écrivain jusqu'à sa mort en 1929. Membre de l'Académie française.

Cette station, dont la balustrade en pierre polie est due à l'architecte Cassien-Bernard, présente sur ses quais, des vitrines sur le Palais de la Découverte qu'elle dessert.

## Chardon-Lagache (Ligne 10)

Pierre Chardon, surnommé « le médecin des pauvres », exerça la médecine à Auteuil pendant près de cinquante ans. Son premier fils le remplaça, puis le second, Pierre-Alfred. Celui-ci avait acquis une fortune considérable grâce à la création d'un magasin de nouveautés, « Aux Montagnes Russes », au 9, rue du Faubourg-Saint-Honoré. Il affecta cette fortune à la création d'une maison de retraite pour gens modestes (en 1857), qui porte son nom accolé à celui de jeune fille de sa femme, née Lagache.

# Charenton-Ecoles (Ligne 8)

**(Place Aristide-Briand)**

Commune de la région parisienne au confluent de la Seine et de la Marne. Louis XI et les grands vassaux du royaume signèrent un traité dans cette ville en 1465. Mais celle-ci est surtout célèbre par son ancien établissement pour aliénés mentaux qui a donné naissance à de nombreuses expressions populaires telles que : « Bon pour Charenton », « Il sort de Charenton », etc.

**Aristide Briand** : Eloquent homme politique (1862-1932). Avocat de formation, il connut une des plus longues carrières ministérielles de la IIIe République.

Il participa activement à la politique extérieure de la France. Prix Nobel de la Paix en 1926.

# Charles de Gaulle-Etoile

(Lignes 1, 2, 6 et RER)

Nom composé de :

A) **Charles de Gaulle :** général et homme politique né à Lille en 1890. Il lança depuis Londres, le 18 juin 1940, un appel, devenu célèbre, à la résistance à l'Allemagne. Chef du gouvernement provisoire à Alger, puis à Paris, de 1944 à 1946. Il se retira de la vie politique en 1953. Le mauvais fonctionnement de la IVe République et les événements d'Algérie le ramenèrent au pouvoir en 1958. Président de la République en 1959, il fut réélu en 1965. Il démissionna le 28 avril 1969 et mourut un an plus tard dans sa propriété de « La Boisserie », à Colombey-les-deux-Eglises, dans la Haute-Marne, où il repose;

B) **Etoile :** place construite par l'étêtement de plus de 5 mètres de la colline du Roule de 1768 à 1774. Cette butte portait aussi le nom d'Etoile de Chaillot (1792) à cause des quelques allées qui s'y croisaient et formaient un octogone. De nos jours, depuis l'Arc de Triomphe situé en son centre, on peut admirer la perspective prestigieuse des douze avenues qui convergent vers lui.

La station du RER est due à l'architecte Pierre Dufau.

# Charles Michels (Ligne 10)

Né en 1903. Militant, puis député communiste. Arrêté à son domicile le 5 octobre 1940 à 5 heures du matin par les Allemands, ainsi que 299 autres personnes. Fusillé dans la Carrière de Châteaubriand, en Bretagne, le 22 octobre 1941, avec d'autres résistants, dont l'étudiant Guy Môquet (voir cette station).

*Ancien nom : Beaugrenelle* (jusqu'au 14 juillet 1945), dont le nom signifiait Belle Garenne, c'est-à-dire endroit où vivent des lapins. Nom donné par la Société des Entrepreneurs du village de Grenelle à l'époque du lotissement.

## Charonne (Ligne 9)

Ancien village rattaché à Paris en 1860, après l'avoir été à la commune de Saint-Denis depuis 1789. Il constitue aujourd'hui une partie des XII^e et XX^e arrondissements. Le Cimetière du Père-Lachaise (voir cette station) a été installé au XVII^e siècle sur son territoire.

Cette station fut en 1962 le théâtre d'une tragédie. Lors d'une manifestation contre l'O.A.S. (Organisation Armée Secrète, favorable à l'Algérie Française) des heurts violents entre manifestants et forces de police firent plusieurs morts.

## Château d'Eau (Ligne 4)

Nom d'une fontaine qui décorait l'emplacement situé entre la rue et le faubourg du Temple. Dessinée par Girard, elle se composait de trois bassins concentriques et superposés, dans lesquels huit lions de fonte couchés crachaient de l'eau provenant du bassin de la Villette. Remontée en 1867 ou 1869 au marché aux bestiaux de la Villette, elle fut remplacée en 1874 par une fontaine de Davioud, plus vaste, décorée de lions assis. Cette dernière a été transférée en 1882 place Daumesnil.

A sa place, on érigea en 1883 la statue de la République (voir cette station), inaugurée le 14 juillet 1884.

## Château de Vincennes (Ligne 1)

A l'origine, rendez-vous de chasse bâti sous Louis VII le Jeune, dans la forêt de Bondy, il fut successivement embelli par plusieurs rois de France : Philippe Auguste, saint Louis qui y rendait la justice, sous le célèbre chêne. Charles V y naquit, et Louis XIV l'agrémenta de deux ailes. Par contre Napoléon Ier en rasa huit tours. Le château servit aussi de prison dans laquelle on enferma Latude qui s'en échappa, et en 1804 le duc d'Enghien qui fut fusillé et enterré dans une fosse au bas du pavillon de la Reine.

## Château-Landon (Ligne 7)

Nom d'une rue dans laquelle se trouvait une propriété appartenant à la famille de Château-

Landon (commune de Seine-et-Marne, près de Melun) sous Louis XIV. Cette rue longeait les potences du gibet de Montfaucon de sinistre mémoire.

## Château Rouge (Ligne 4)

Belle demeure en briques et en pierres édifiée en 1780 par un subdélégué de l'Intendance de Paris nommé Christophe. Elle était située dans un grand parc qui serait délimité de nos jours, par les rues Doudeauville, des Poissonniers, Christiani et Ramey. Le parc fut loti en 1844 et un certain Bobeuf acheta, en 1845, la partie centrale du pavillon qu'il transforma en bal public champêtre. Dans ses jardins se tint le 9 juillet 1847 le premier des banquets réformistes d'où sortit la Révolution de 1848. Le bal ferma en 1882 et laissa sa place à des maisons de rapport.

## Châtelet (Lignes 1, 4, 7, 11 et RER)

Nom d'un petit château fort, construit en 1130 par Louis VI le Gros. Il remplaçait probablement une tour en bois que Charles le Chauve fit édifier vers 870 afin de permettre la défense du pont qui traversait la Seine à cet endroit. Quelques années plus tard il permit, en effet, de repousser une incursion des Normands. Plusieurs rois de France le remanièrent, entre le XIIe et le XVIIIe siècle. Après avoir été le siège de la Prévôté de Paris, il servit de prison et de Tribunal. Démoli à la fin du XVIIIe siècle.

Huitième station la plus fréquentée du réseau, elle a été dotée dès le 21 octobre 1964 des premiers trottoirs roulants, longs de 132 mètres. Ils avancent à la vitesse de 45 mètres par minute, soit un peu moins de 3 kilomètres à l'heure et ont un débit d'environ 10 000 personnes à l'heure.

## Châtelet-Les Halles (RER)

(Voir Châtelet ci-dessus et Les Halles, ligne 4).

A noter trois trottoirs de plus de 150 mètres installés depuis décembre 1977.

Une tentative de désodorisation à la citronelle eut lieu avant la Seconde Guerre mondiale. En 1966, on répéta l'opération avec de la lavande, mais sans plus de succès !

## Chaussée d'Antin (Lignes 7 et 9)

Nom de la rue qui remplaça en 1712 un ancien sentier conduisant de la Porte Gaillon vers Clichy. Cette rue, construite en surélévation par rapport à des marais voisins, porte le nom du fils du marquis de Montespan, qui possédait un hôtel particulier sur les Grands Boulevards, face au débouché de cette chaussée.

Sur les quais de cette station, vitrines comme à « Opéra » et « Franklin-Roosevelt ». Les escaliers ont la plus faible dénivellation du réseau (3,70 m).

## Chemin Vert (Ligne 8)

Cette station porte le nom d'une rue construite sur les traces d'un chemin existant depuis 1650 et qui serpentait entre les jardins maraîchers, nombreux à cette époque dans la région.

Appelée tout d'abord rue des Neuf-Arpents, puis rue Verte, enfin rue du Chemin-Vert. Une autre rue du quartier, celle des Amandiers, en montre d'ailleurs bien l'origine rustique.

## Chevaleret (Ligne 6)

Nom d'un outil dont se servaient les mégissiers (tanneurs de peaux), nombreux dans le quartier, dans la première moitié du XVIIIe siècle. Ce pourrait être aussi le nom d'un ancien propriétaire de terrains situés dans le secteur.

## Cité (Ligne 4)

Ancien village situé sur l'une des deux îles de la Seine habitées par la tribu celte des Parisis. Pêcheurs, chasseurs et bateliers, ils occupaient des huttes rondes aux toits coniques. Ce bourg était relié aux rives par deux passerelles. Au cours des siècles, divers travaux ont augmenté sa superficie.

Cette station est entièrement contenue dans deux caissons à 19 mètres au-dessous du sol comprenant les quais, la voie et deux puits elliptiques dans lesquels sont installés ascenseurs et escaliers (13,2 m de dénivellation).

## Cité Universitaire (RER)

Ensemble de vingt-trois maisons destinées à loger les étudiants étrangers que l'Université de Paris attire depuis le XIIIe siècle. Construite à partir de 1922 sur les 40 hectares d'anciennes fortifications, chaque maison a le style d'un pays différent, ce qui la fait ressembler à une petite ville internationale.

# Cluny La Sorbonne (Ligne 10)

L'Hôtel de Cluny accueillait jusqu'au XVe siècle les abbés étudiants venus suivre leurs études à la Sorbonne. La Maison mère, fondée en 910 par Guillaume d'Aquitaine, était située dans la ville de Saône-et-Loire portant ce nom. La résidence parisienne a été bâtie sur les ruines de Thermes datant de l'époque où la civilisation romaine s'implantait sur la rive gauche de Lutèce (IIIe s.). Au XVIIe siècle, cet hôtel a été occupé par de grands personnages, en particulier par les nonces apostoliques. Aujourd'hui, c'est un musée.

La Sorbonne, fondée en 1253 par Robert de Sorbon, confesseur de saint Louis, est l'établissement universitaire français le plus connu à l'étranger.

# Colonel Fabien (Ligne 2)

Il s'agit de Pierre-Georges, dit Frédo, dit Fabien. Celui-ci abattit de deux coups de pistolet, le 21 août 1941, sur le quai de Barbès-Rochechouart (voir cette station) un assistant d'intendance de la Marine allemande, Alfonse Moser. Fabien avait alors vingt et un ans. Une plaque, apposée le 19 octobre 1945, rappelle cet événement, l'une des premières réactions armées à l'occupant. Fils d'un boulanger de Belleville, chef des Jeunesses Communistes, il avait fait partie, à dix-huit ans, des Brigades Internationales, en Espagne, où il fut d'ailleurs blessé. Il mourut le 27 décembre 1944, dans l'explosion d'une mine qu'il manipulait dans son poste de commandement de la mairie de Halsheim, près de Mulhouse, en Alsace, où il faisait campagne. Il entraîna malheureusement dans la mort plusieurs autres personnes.

*Ancien nom* (jusqu'au 19 août 1945) : *Combat.*

Des combats d'animaux y furent donnés de 1778 à 1848 dans une arène en bois recouverte de toile. Ces spectacles avaient lieu deux fois par semaine et montraient des duels de chiens, de sangliers, de porcs et même de tigres et de taureaux !

## Commerce (Ligne 8)

Porte le nom de la rue la plus fournie en commerçants de l'ancienne commune de Grenelle. Elle garde encore aujourd'hui son caractère très vivant. Quais décalés.

## Concorde (Lignes 1, 8 et 12)

Du nom de la place qui doit son appellation à une statue de Louis XV le Bien-Aimé, que le prévôt des marchands et les échevins de Paris commandèrent au sculpteur Bouchardon en 1748, afin de fêter le rétablissement du roi après la maladie qu'il avait contractée dans la ville de Metz. Cette place a été aménagée en 1772 par l'architecte Jacques-Ange Gabriel, et l'Obélisque de Louxor y fut érigé en 1836.

Le 19 octobre 1900, une collision entre deux rames de métro fit vingt-neuf blessés.

La balustrade en pierre polie est due à Cassien-Bernard. La station s'ouvre dans le mur des Tuileries.

## Convention (Ligne 12)

Il s'agit d'une Assemblée révolutionnaire qui siégea du 20 septembre 1792 au 26 octobre 1795. Elle abolit la royauté et proclama la république. Elle condamna à mort le roi Louis XVI et réduisit la révolte des « Vendéens ». Malgré le triste épisode de « la Terreur », elle procéda à d'importantes innovations : ouverture de l'Ecole Polytechnique, l'Ecole Normale Supérieure ; uniformatisation des poids et mesures et abolition de l'esclavage dans les colonies.

## Corentin Cariou (Ligne 7)

Conseiller municipal du 19e arrondissement, né en 1898 et fusillé comme otage par les Allemands en 1942.

*Ancien nom : Pont de Flandre* (jusqu'au 2 octobre 1946).

Pont sur la route menant vers cette province comprise entre l'Escaut, la mer du Nord, l'Artois, le Hainaut et le Brabant. Cette région scindée aujourd'hui entre la France et la Belgique fut le théâtre de nombreux événements historiques.

## Corentin Celton (Ligne 12)

Résistant fusillé par les Allemands en 1945 au mont Valérien. Employé à l'hôpital-hospice des Petits-Ménages à qui on donna ultérieurement son nom.

*Ancien nom : Petits-Ménages* (jusqu'au 15 septembre 1945).

Nom d'un hôpital-hospice fondé en 1544, rue de Sèvres, à Paris, et destiné à recevoir malades, aliénés et ménages de vieillards. Transféré en 1863 dans la commune d'Issy-les-Moulineaux.

## Corvisart (Ligne 6)

Jean-Nicolas des Marels, baron Corvisart, est né à Dricourt dans les Ardennes en 1755. Il était le médecin personnel de Napoléon Ier. Jadis il se destinait au barreau, mais, ayant assisté par hasard, à une leçon de chirurgie, il se consacra alors à des études médicales qu'il vit aboutir avec succès en 1782. Il fonda, à l'hôpital de la Charité, une clinique qui devint célèbre. Remarqué par Joséphine, qui le présenta à Bonaparte, il suivit, pendant sa grossesse, Marie-Louise, mère du futur roi de Rome. Il donna de grandes fêtes à l'Hôtel de Broglie, dont il devint propriétaire en 1810 après l'avoir occupé comme locataire.

Station endommagée par les bombes allemandes au cours de la grande guerre (1914-1918).

## Courcelles (Ligne 2)

Petit village de la région parisienne, près de Clichy.

Une certaine marquise de Courcelles, Marie Sidonia de Lenoncourt, a été surnommée par Sainte-Beuve : « la Manon Lescaut de son siècle ».

## Couronnes (Ligne 2)

Le nom de Couronnes peut avoir deux origines. Soit il s'agissait d'un lieudit « Les Couronnes-sous-Savies », Savies étant l'un des anciens noms de la commune de Belleville. Soit il existait à cet endroit une taverne à l'enseigne des « Trois Couronnes ».

Cette station fut surtout le théâtre de la plus grave catastrophe du métro parisien. Quatre-vingt-quatre personnes y trouvèrent la mort, le 10 août 1903, à la suite de l'incendie d'une rame.

Un court-circuit fut détecté à la station Barbès, pas encore Rochechouart à l'époque ; le train évacué fut renvoyé au terminus. Mais le feu reprit à « Ménilmontant ». Les employés de cette station réussirent à prévenir ceux de « Couronnes » qui firent alors descendre les voyageurs, environ 300, de la rame de quatre voitures qui suivait. Mais la grande majorité des voyageurs resta sur le quai afin de demander le remboursement de leur billet. Ce fut leur perte. Un flot de fumée arriva soudain, vers 20 heures, par le tunnel du côté de « Ménilmontant ». Une panique s'ensuivit. De nombreux voyageurs se précipitèrent vers l'autre extrémité du quai, malheureusement dépourvue de sortie. Les sauveteurs retrouvèrent soixante-quinze cadavres entassés les uns sur les autres jusqu'à la voûte, pratiquement tous d'origine populaire sauf trois. Neuf autres furent découverts dans les souterrains, dans la rame, ainsi qu'à la station « Ménilmontant ». Un dessin de Brouard tente de représenter la scène.

Quelques années plus tard, le 29 novembre 1916, une bombe lâchée d'un dirigeable allemand ouvrit une brèche dans la voûte du tunnel. Couronnes, une station martyre au nom prédestiné ?

## Crimée (Ligne 7)

Péninsule située en Union soviétique au nord de la mer Noire (environ 25 000 km²). L'isthme de Pérékop l'unit au continent. De dures batailles s'y déroulèrent à Sébastopol (voir cette station) au cours de la Guerre dite de « Crimée ». Ancienne République soviétique indépendante, elle a été rattachée, en 1946, à la République de Russie. Une très importante conférence internationale y eut lieu à Yalta en 1945.

## Croix de Chavaux (Ligne 9)

**(Jacques Duclos)**

Déformation de « chevaux ». Il existait sans doute, à cet endroit de la commune de Montreuil-sous-Bois, au carrefour des routes menant à Paris à l'ouest, Rosny à l'est, Bagnolet au nord et Vincennes au sud, un relais où l'on changeait les chevaux des malles-poste et autres diligences. Le terme de Croix provient certainement de la forme du carrefour ou bien encore de la présence en ce lieu d'un calvaire.

**Jacques Duclos** (1896-1975) : Homme politique né à Lorrey dans les Hautes-Pyrénées. Dirigeant du Parti communiste, il fut, en 1969, candidat aux élections présidentielles contre de Gaulle et Mitterrand.

## Croix Rouge (Ligne 10)

La station est fermée depuis le 2 septembre 1939.

On pourrait penser qu'il s'agit de l'organisme de secours fondé par le Suisse Henri Dunant. Il n'en est rien. Au XVIe siècle existait à ce carrefour une grande croix de couleur rouge érigée par Guillaume Briçonnet, évêque de Meaux. Cette croix remplaçait la statue dite d'Isis, située devant l'église Saint-Germain-des-Prés, dont il était aussi abbé. Elle fut enlevée au XVIIe siècle.

## Danube (Ligne 7 *bis*)

Second fleuve d'Europe par sa longueur (2 900 km). Il prend sa source en Allemagne occidentale dans la Forêt-Noire, draîne les eaux de l'Europe centrale vers la mer Noire où il se jette dans un vaste delta. Il traverse ou longe : l'Autriche, la Tchécoslovaquie, la Hongrie, la Yougoslavie, la Roumanie et la Bulgarie ! Il passe notamment à Vienne, Budapest et Belgrade.

La station se situe à l'extrémité d'un viaduc souterrain dont les pylônes de soutien font plus de 30 mètres. Cet ouvrage permet au métro de traverser les carrières dites « d'Amérique » en raison de la destination du gypse qu'on y extrayait.

## Daumesnil

**(Félix Eboué)** (Lignes 6 et 8)

**Pierre, Baron Daumesnil,** dit « Jambe de Bois » depuis sa mutilation à la suite d'une blessure reçue lors de la bataille de Wagram (voir cette station), né à Périgueux en 1777, mort en 1832. Dans sa jeunesse, il fut ce qu'on appelle une « forte tête », souvent cassé de son grade pour insubordination ; il faillit même être fusillé ! Mais il devint tout de même général et gouverneur du Fort de Vincennes, et de son important arsenal.

Il fit montre d'une grande fermeté en tenant tête aux Russes en 1814, auxquels il aurait répondu : « Rendez-moi ma jambe et je vous rendrai Vincennes » et aux Prussiens en 1815. Blücher lui aurait offert pour sa reddition, trois millions qu'il dédaigna.

Aux insurgés parisiens de 1830, il refusa encore de livrer les ministres de Charles X qui attendaient d'être jugés en leur déclarant : « Je me fais sauter avec le château et nous nous rencontrerons en l'air »;

**Félix Eboué** : Administrateur français, né à Cayenne en 1884, gouverneur du Tchad en 1938, premier territoire qui se rallie à la France libre en 1940. Gouverneur de l'Afrique Equatoriale Française (AEF), il meurt en 1944.

# Denfert-Rochereau

(Lignes 4, 6 et RER)

**Denfert-Rochereau** : de son prénom Philippe-Aristide, né à Saint-Maixent en 1823. Ce colonel défendit victorieusement la ville de Belfort de 1870 à 1871 contre les Allemands, ce qui permit à la France de conserver cette ville lors du traité de Paix. Le Lion de Belfort en orne d'ailleurs la place.

L'assimilation fut facile avec la **place d'Enfer,** ainsi nommée de 1760 à 1879. La Barrière (Porte) d'Enfer fut percée en 1874 dans le mur des Fermiers Généraux. Ce nom venait de celui de la voie romaine « Inférior », par rapport à la voie « Supérior », aujourd'hui rue Saint-Jacques.

A l'ouest de la station, la ligne passe sur un véritable viaduc souterrain reposant sur cinq files de colonnes. Elle a été équipée avant 1914 de l'un des deux premiers escaliers mécaniques, en service jusqu'en 1969.

Quatrième station la plus fréquentée du réseau.

## Dugommier (Ligne 6)

(Jean-François Coquille, dit) : né en 1738 à Basse-Terre en Guadeloupe. Général français, il commande les Gardes Nationales de la Martinique (1790). Il devint député de la Convention en 1792 et se signala devant Toulon (1793) avec sous ses ordres un certain Bonaparte. Il fut tué l'année suivante à la bataille de la Sierra Negra en Espagne (Catalogne).

## Dupleix (Ligne 6)

Joseph François, marquis de Dupleix, né à Landrecies (Nord). Gouverneur général de la Compagnie française des Indes de 1742 à 1754. Il lutta avec succès contre les Anglais et étendit l'influence française sur une grande partie du Deccan mais sa politique à long terme n'eut pas l'écho qu'il souhaitait. Rappelé en France, il mourut en 1763, quasiment ruiné.

## Duroc (Lignes 10 et 13)

Gérard, Christophe, Michel, duc de Frioul, né à Pont-à-Mousson en 1772. Général français, grand maréchal du Palais impérial en 1804. Il fit la guerre d'Italie en 1796. Mortellement blessé par un boulet de canon en 1813.

A Sainte-Hélène, Napoléon Ier a dit de lui : « Duroc, seul, a eu mon intimité et possédé mon entière confiance. » Ils s'étaient connus à l'Ecole militaire de Brienne. Ses restes reposent d'ailleurs aux Invalides (voir cette station), auprès de ceux de l'Empereur, sur l'initiative de Louis-Philippe.

## Ecole Militaire (Ligne 8)

En 1750, le financier Paris Duverney proposa à Louis XV, avec l'appui de la Pompadour, la construction d'un collège pour fils d'officiers tués ou infirmes. L'année suivante, Jacques-Ange Gabriel en réalisa les plans. La construction commença en 1752, et l'Ecole ouvrit en 1760. Réorganisée en 1777, elle accepta les jeunes venant de province dont Bonaparte qui y séjourna en 1784. Elle servit ensuite de caserne et d'école de guerre (1878), ce qu'elle est encore aujourd'hui.

## Edgar Quinet (Ligne 6)

Né à Bourg-en-Bresse dans l'Ain en 1803, historien et homme politique français, décédé à Paris en 1875. Œuvres : « Alias verus », poème en prose (1833), « La Révolution » (1865).

## Eglise d'Auteuil (Ligne 10)

L'église actuelle a été construite en 1877 par Vaudremer. Elle remplace celle qui avait été édifiée au XI^e siècle, et reconstruite au XIV^e.

L'un de ses curés, l'abbé Loyseau, s'entremit afin que Molière, qui habitait le village d'Auteuil, puisse être inhumé en terre bénite. Cet abbé assista aussi la tragédienne La Champmeslé lorsqu'elle mourut.

Dès 1262, les abbés de Sainte-Geneviève furent seigneurs d'Auteuil. Incendié en 1358, par Charles le Mauvais, le village a été successivement ravagé par les Anglais, les Jacques et les brigands de la forêt de Rouvray !

*Ancien nom : Wilhem* (jusqu'au 15 mai 1921).

Romancier français de son véritable nom : Guillaume-Louis Bocquillon. Le nom changea sur la volonté d'un conseiller municipal, persuadé que la station portait le prénom de l'empereur d'Allemagne, Guillaume II !

## Eglise de Pantin (Ligne 5)

Commune de l'Est parisien, siège de diverses industries dont la Manufacture des Tabacs et les Grands-Moulins.

Important cimetière.

## Emile Zola (Ligne 10)

Romancier français, né à Paris en 1840, mort en 1902, et dont les restes reposent au Panthéon. Chef de l'Ecole dite Naturaliste. Auteur du « Roman expérimental » (1880). Mais surtout de « Thérèse Raquin » (1867) et des « Rougon-Macquart », chronique en vingt volumes (1871-1893), d'une famille au cours du temps. Célèbre aussi pour sa prise de position dans l'affaire Dreyfus dans le célèbre article du journal *l'Aurore* : « J'accuse ».

## Etienne Marcel (Ligne 4)

Né à Paris en 1315. Prévôt (chef de la Corporation des Marchands), lui-même l'un des plus riches drapiers de la ville. Il essaya, au cours des Etats généraux de 1356 et 1357, de lutter contre l'autorité royale, en particulier celle du dauphin Charles, le futur Charles V. Il obtint, avec l'aide de Robert Le Coq, évêque de Laon, la grande ordonnance de 1357. Celle-ci contenait un contrôle des subsides par les Etats généraux, un Conseil du Dauphin et le renvoi des conseillers de Jean II. Mais il fut tué le 31 juillet 1358 par J. Maillard, alors qu'il s'apprêtait à livrer Paris à Charles II dit le Mauvais, roi de Navarre, après avoir organisé la révolte et massacré les maréchaux de Champagne et de Normandie sous les yeux du Dauphin.

## Europe (Ligne 3)

Place de Paris en forme d'étoile à six branches. Les rues y aboutissant portent le nom de grandes villes d'Europe [Leningrad, Liège (voir cette station), Londres, Vienne, Madrid, Constantinople].

## Exelmans (Ligne 9)

Remi-Joseph-Isidore vit le jour à Bar-le-Duc en 1775.

Colonel à Austerlitz, général à Eylau, il a été le Grand Ecuyer de Murat. Prisonnier des Anglais en 1808, il s'évada trois ans plus tard, et Napoléon le fit Pair de France pendant les Cent Jours.

Exilé en Allemagne, il revint en France, où il devint Inspecteur de la Cavalerie en 1830, Maréchal en 1851. Il mourut un an après à la suite d'une chute de cheval !

## Faidherbe-Chaligny (Ligne 8)

Nom composé de :

A) **Faidherbe** (Louis, Léon, César) : né en 1818 (Lille). Général français, gouverneur du Sénégal (1854-1865), il commanda l'armée du Nord pendant la campagne 1870-1871;

B) **Chaligny** : famille de fondeurs de Lorraine. Jean, né à Nancy (1529-1613). Antoine, mort en 1666, est l'auteur de la statue équestre de Charles III, duc de Lorraine, à Nancy.

## Falguière (Ligne 12)

Jean Alexandre, Joseph naquit à Toulouse en 1831. Mort à Paris en 1900. Peintre et surtout sculpteur français. Son « Triomphe de la République », mis sur l'Arc du même nom en 1881, fut enlevé cinq ans plus tard.

## Félix Faure (Ligne 8)

Né à Paris en 1841, le 30 janvier, commerçant en cuir et peaux au Havre, devenu Ministre des Colonies et de la Marine (1885), puis Président de la République Française le 17 janvier 1895 jusqu'en 1899. Sous son mandat eut lieu l'annexion de Madagascar (1895) et l'alliance franco-russe à Cronstadt (1897).

## Filles du Calvaire (Ligne 8)

De la Congrégation de Notre-Dame-du-Calvaire. Couvent d'obédience bénédictine créé en 1633 par le fameux Père Joseph (éminence grise de Louis XIII) sur la requête de Marie de Médicis. Fut fermé à la fin du XVIII^e^ siècle.

## Franklin D. Roosevelt (Lignes 1 et 9)

Né à Hyde-Park en 1882. Son second prénom commençant par D est Delano. Président démocrate des Etats-Unis de 1933 à sa mort en 1945. Il prit des mesures originales pour l'époque, le « New Deal » (Nouvelle Donne), afin de combattre les conséquences de la crise de l'entre-deux-guerres, dite de 1929. Il prépara aussi l'opinion publique à l'intervention américaine dans la Seconde Guerre Mondiale.

Première station à vitrines d'aluminium. Des reproductions de tableaux célèbres en gemmaux y alternaient avec des plaques de verres lumineuses, sous revêtement plastique.

Son inauguration revêtit un certain faste. Dans la nuit du 1er au 2 mars 1957, deux trains quittèrent respectivement la Porte Maillot et la Porte de Vincennes (terminus de la première ligne construite) et se rejoignirent au Rond-Point des Champs-Elysées. Chacun d'eux était composé d'une locomotive et de six wagons-plates-formes chargés de tables. Arrivés à destination les ridelles, recouvertes de tapis rouge, furent abaissées dissimulant ainsi les accès aux quais et permettant à la fête de se dérouler dans les meilleures conditions.

Huitième station la plus fréquentée du réseau avec 12,2 millions de voyageurs, il n'est pas rare d'y entendre des concerts donnés par quelques musiciens en habit. Balustrade de Cassien-Bernard.

*Ancien nom : Marbœuf* (jusqu'au 6 octobre 1942), puis *Marbeuf - Rond-Point-des-Champs-Elysées* jusqu'au 30 octobre 1946.

Louis-Charles-René, comte : né en 1736 à Rennes, ce général français fut gouverneur de la Corse, conquise malgré Paoli (1768). Mort en 1788. Son neveu fit entrer à l'Ecole de Brienne le fils de Lætitia Bonaparte, le futur Napoléon Ier.

## Gaité (Ligne 13)

Quartier au voisinage des anciennes barrières du Mont-Parnasse et du Maine, entourées de bals, de guinguettes, de restaurants, de théâtres, de marchands de moules et de frites. Le Bal Constant, celui des Gigolettes, des Escargots, le Restaurant Richefeu, le bal des Mille Colonnes, etc., en sont quelques exemples parmi les plus connus.

## Gallieni (**Parc de Bagnolet**) (Ligne 3)

Joseph-Simon, né en 1849 à Saint-Béat.

Général français, il a commandé des opérations Outre-Mer, au Soudan, à Madagascar, en Indochine. Gouverneur de Madagascar, puis gouverneur militaire de Paris. Il joua un grand rôle dans la fameuse bataille de la Marne en 1914 et gagna la bataille de l'Ourcq contre Von Klück. Ministre de la Guerre du 28 octobre 1915 au 17 mars 1916. Mort cette année-là à Versailles ; il a été fait maréchal de France, à titre posthume en 1921. Statue place Vauban près des Invalides.

Nouveau terminus de la ligne 3 :

**Parc de Bagnolet** : Voir Porte de Bagnolet.

## Gambetta (Lignes 3 et 3 *bis*)

Léon Gambetta, d'origine italienne, est né à Cahors en 1838. Après des études d'avocat, il se consacra à la politique, en tant qu'opposant républicain. Il se fit connaître par un violent réquisitoire contre l'Empire, prononcé lors d'un procès en 1868. Elu député radical du XX^e^ arrondissement de Paris en 1869, il joua un grand rôle dans le gouvernement de Défense nationale, dont il était ministre de l'Intérieur, en dirigeant la résistance à l'ennemi allemand en province. L'épisode de son départ de Paris pour Tours en ballon est resté célèbre. C'est aussi lui qui proclama la République depuis l'Hôtel de Ville le 4 septembre 1870. Président de la Chambre des Députés en 1879, il mourut trois ans plus tard dans sa maison de Ville-d'Avray. Paris lui fit d'imposantes funérailles, et son cœur fut déposé au Panthéon le 11 novembre 1920.

Depuis sa rénovation, le 23 août 1969, la station Gambetta a englobé, et ainsi fait disparaître « **Martin-Nadaud** », dont nous voudrions cependant dire quelques mots. Cet homme politique français est né en 1815 et décédé en 1898 à La Martinèche, dans la Creuse. Ouvrier maçon, il est élu en 1849 député de son département à l'Assemblée législative. Il vote avec les députés dits

« Montagnards ». Proscrit, il passe en Angleterre en 1851, puis revient en France pour devenir Préfet de la Creuse et conseiller municipal de Paris en 1871. Ceci lui valut d'avoir une place à son nom dans le XX^e^ en 1899. Républicain, comme Gambetta chez qui il était reçu, il s'est beaucoup intéressé aux questions ouvrières et a publié plusieurs ouvrages sur ce sujet dont « Histoire des classes ouvrières en Grande-Bretagne » (1872), inspiré par son séjour dans ce pays, et les « Sociétés ouvrières » (1873).

## Gare de l'Est

**(Verdun)** (Lignes 4, 5 et 7)

La plus vaste gare parisienne, agrandie et transformée de 1895 à 1899 et de 1924 à 1931. Les statues de Strasbourg et de Verdun dues au sculpteur Varenne (1930) symbolisent les guerres de 1870 et 1914-1918. Les soldats mobilisés partaient en effet au front depuis cette gare.

Troisième station la plus fréquentée du réseau avec 27,7 millions d'usagers.

## Gare de Lyon (Ligne 1 et RER)

Gare de départ de l'ancienne ligne Paris - Lyon - Méditerranée (PLM), reconstruite et agrandie en 1899 et 1927. Son superbe beffroi de 64 mètres de haut est orné d'une horloge à quatre cadrans.

La ville de Lyon (Lugdunum) est située à 468 kilomètres de Paris. Elle est, entre autres, la patrie d'Ampère, Jacquard, Jussieu (voir cette station), de Mme Récamier et du général Suchet.

Cinquième station la plus fréquentée du réseau avec 20,3 millions de voyageurs. Le 11 mai 1901, un incendie se déclara dans cette station, mais ne fit heureusement aucune victime. La sortie de cette station s'ornait d'une jolie marquise, œuvre de Guimard.

## Gare d'Austerlitz (Lignes 5, 10 et RER)

Bourg de Tchécoslovaquie, aujourd'hui Slavkov, où Napoléon remporta la victoire sur les Autrichiens et les Russes le 2 décembre 1805, appelée aussi Bataille des Trois Empereurs; le soleil y brilla dès le matin malgré la saison.

Septième station la plus fréquentée du réseau avec 12,6 millions d'usagers.

*Ancien nom : Gare d'Orléans* jusqu'au 15 octobre 1930, du fait qu'elle desservait la ligne Paris - Orléans, ville du Loiret située à 111 kilomètres de Paris que Jeanne d'Arc sauva en 1429 des mains des Anglais. Patrie d'Etienne Dolet et de Robert le Pieux.

## Gare du Nord (Lignes 4, 5 et RER)

Gare desservant les départements du nord de la France et les pays du Benelux.

Première station la plus fréquentée du réseau avec 33 millions de voyageurs.

## Garibaldi (Ligne 13)

Patriote italien prénommé Giuseppe, né à Nice en 1807, mort en 1882. Il lutta pour l'unification de l'Italie. Il s'opposa notamment aux Autrichiens au nord, au roi de Naples au sud et aux Troupes pontificales. Il servit la France au cours de la guerre de 1870. Son fils Ricciotti (1847-1924) mit aussi sa Légion au service de la France au cours de la guerre 1914-1918.

## George V (Ligne 1)

Né à Londres en 1865, mort en 1936 à Sandringham.

Second fils et successeur d'Edouard VII sur le trône d'Angleterre, il fut couronné en 1910; son règne fut marqué par l'intervention de l'Angleterre dans le cours de la guerre 1914-1918, par la réforme du Parlement anglais en 1911, précisant les institutions démocratiques anglaises, et par la transformation en 1922 de l'Irlande en un Etat libre, membre de la Fédération des Dominions britanniques.

Accès à la station dû à Cassien-Bernard.

*Ancien nom : Alma* (voir Alma Marceau) (jusqu'au 27 mai 1920).

## Glacière (Ligne 6)

Village ainsi nommé à cause des étangs que formaient la Bièvre et la Fontaine à Mulard, sur lesquels on allait patiner en hiver, et dont on extrayait la glace pour l'alimentation. Ce que l'on fit d'ailleurs ultérieurement avec les étangs du Bois de Boulogne.

## Goncourt
**(Hôpital Saint-Louis)** (Ligne 11)

On dit souvent « Les Goncourt ». Il s'agit en effet de Edmond Huot de Goncourt, né à Nancy en 1822 (mort en 1896 à Champrosay) et de son frère Jules, né à Paris en 1830 (décédé en 1870). Ecrivains français de l'Ecole dite « Naturaliste », ils écrivirent plusieurs romans en collaboration : « Renée Mauperin » (1864), « Germinie Lacerteux » (1865) ou des essais critiques : « L'Art au XVIII^e siècle » (1859-1875). Edmond de Goncourt écrivit seul : « La Fille Elisa » (1877) et « Chérie » (1884).

Mais il a surtout créé, par testament, une société littéraire, dont le jury, composé de dix membres, décerne chaque année un prix du « meilleur volume d'imagination en prose », assurant surtout de confortables ventes.

**Hôpital Saint-Louis** : Le plus ancien hôpital de Paris encore en service. Construit à partir de 1607, sous Henri IV, à la suite de l'épidémie de peste de 1606 qui avait décimé Paris. Le nom a été donné en souvenir du roi de France mort de cette maladie devant Tunis.

## Guy Môquet (Ligne 13)

Etudiant, né en 1924, fils du député communiste de Paris, Prosper Môquet qui fut déchu de son mandat et condamné à cinq ans de prison par le Gouvernement de Vichy.

Guy a été arrêté à la fin de 1940 pour avoir, avec d'autres étudiants patriotes, manifesté contre l'occupant allemand et le régime de Vichy. Il fut incarcéré à la Prison de la Santé à Paris, puis à la Centrale de Clairvaux et enfin dirigé sur Chateaubriand en Bretagne le 15 mai 1941. Fusillé comme otage le 22 octobre de la même année avec d'autres résistants, dont Charles Michels (voir cette station).

*Anciens noms : Carrefour Marcadet* puis *Marcadet-Balagny* (jusqu'au 27 janvier 1946).

Nom composé de :

A) **Marcadet :** lieu dit « La Mercade », c'est-à-dire le marché, rattaché à la Foire du Landy;

B) **Balagny :** notaire, maire de la commune des Batignolles-Monceau de 1842 à 1848 puis de 1850 à 1870. Il y attira des industries, fit des travaux de voirie et préserva le quartier.

## Havre-Caumartin (Lignes 3 et 9)

Nom composé de :

A) **Havre** (Le) : port important à l'embouchure de la Seine fondé en 1517 par François Ier. De

PARIS. — La Grande Crue de la Seine (Janvier 1910).
Entrée de la station du Métro de la rue Caumartin. —

nombreuses industries complètent les activités portuaires; patrie de Bernardin de Saint-Pierre et de René Coty.

La rue du Havre à Paris a été ainsi dénommée en 1845, car elle permettait l'accès à l'embarcadère de l'Ouest (Gare Saint-Lazare) qui desservait Saint-Germain, Versailles, Rouen et Le Havre.

Cette station de métro comprend le plus grand nombre d'escaliers mécaniques du réseau : 11.

B) **Caumartin** (Le Fèvre de) : famille de magistrats français originaire de Ponthieu.

— Louis-François (1624-1687), Frondeur.

— Louis-Urbain (1653-1720), célébré par Boileau et Voltaire (voir cette station).

— Jean (1668-1733), membre de l'Académie française.

— François, prévôt des marchands de 1778 à 1784.

# Hoche (Ligne 5)

Ce militaire français, Lazare-Louis Hoche, est né à Versailles en 1768. Fils d'un palefrenier du roi, il devint général en 1793. Il battit les Autrichiens près de Wœrth et débloqua Landau. Il fut emprisonné quelque temps sous la Terreur à la suite d'une dénonciation de Pichegru (1794). Il pacifia la Vendée du mouvement chouan et anéantit les émigrés débarqués à Quiberon (1795), puis commanda l'Armée de Sambre et Meuse, devient ensuite ministre de la Guerre (juillet 1797). Il mourut de tuberculose le 19 septembre 1797 à Wetzlar, près de Coblence, en Allemagne.

## Hôtel de Ville (Lignes 1 et 11)

Etienne Marcel (voir cette station) installa en 1357 le « Parloir aux Bourgeois » dans une maison de la place de Grève (premier nom de la place de l'Hôtel-de-Ville). Reconstruit successivement sous plusieurs rois de France, cet « Hôtel de Ville », incendié pendant la Commune le 25 mai 1871, a été rebâti de 1873 à 1883 dans sa forme actuelle de style Renaissance.

Le 27 août 1903, à la suite d'un court-circuit, une rame se trouva plongée dans l'obscurité. Deux voyageurs sautèrent en marche et l'un d'eux trouva la mort en se fracturant le crâne.

## Iéna (Ligne 9)

Ville aujourd'hui sur le territoire de la République Démocratique Allemande, sur la Saale, dans la région de Thuringe. Victoire des troupes de Napoléon Ier sur les Prussiens commandés par le prince de Hohenlohe le 14 octobre 1806. Un tableau d'Horace Vernet relate cette bataille. Cette ville est mentionnée pour la première fois dans des archives au IXe siècle, sous le nom de Jani (elle s'orthographie d'ailleurs Jena) et devint bourg en 1284. L'archange saint Michel figure sur ses armoiries depuis le XIIIe siècle.

## Invalides (Lignes 8, 13 et RER)

Henri IV puis Richelieu s'étaient déjà préoccupés de la situation des blessés de guerre qui pouvaient être hébergés dans des abbayes sous autorité royale.

Mais l'Hôtel Royal des Invalides fut construit selon le souhait de Louis XIV, appuyé par Louvois, à partir de 1671, et terminé cinq ans plus tard en 1676. Financé par une retenue sur le montant des soldes et des commandes faites par l'Armée pendant cinq années, cet hôpital-hospice pouvait recueillir jusqu'à sept mille invalides, d'où son nom.

Deux architectes se succédèrent pour son édification : Bruant (Libéral de son prénom) puis le très connu Jules Hardouin-Mansart, qui contrôla la construction du Dôme (1679-1706).

L'Hôtel reçut la visite intéressée des Révolutionnaires venus y chercher des armes, mais il vit surtout en 1840 le retour, de Sainte-Hélène, des cendres de Napoléon Ier.

## Jacques Bonsergent (Ligne 5)

Premier fusillé civil de Paris, sinon de France. Cet ingénieur des Arts et Métiers, né en 1912, habitait 3, boulevard Magenta. C'est près de son domicile que le 10 novembre 1940 il est mêlé à une bousculade au cours de laquelle son compagnon lève la main sur un sergent allemand. Mais lui seul est arrêté. Il endosse la responsabilité de l'acte jusque devant le tribunal militaire allemand. Condamné à mort le 5 décembre 1940, il apprend le 22 qu'il ne sera pas gracié. La dure sentence est exécutée au fort Vincennes le 23 décembre à l'aube.

*Ancien nom : Lancry* (jusqu'au 10 février 1946). Nom de famille du propriétaire du terrain sur lequel la rue avait été ouverte.

## Jasmin (Ligne 9)

Jacques Boé, dit Jasmin. Poète gascon né en 1798 et décédé en 1864 à Agen, surnommé le « Perruquier poète » et par Lamartine « L'Homère sensible aux prolétaires ». Il voyageait en effet beaucoup dans le Midi de la France pour réciter ses poèmes et l'argent qu'il recueillait était versé à des œuvres de charité. Lors d'un de ses rares séjours dans la capitale, Louis-Philippe lui fit l'honneur d'une soirée, en 1842.

## Jaurès (Lignes 2, 5 et 7 *bis*)

Homme politique français, né à Castres en 1859. D'abord professeur de philosophie à Albi, puis député à plusieurs reprises au cours de la période 1885-1914, il a été chef du parti socialiste dont il assura l'unité. Fondateur du journal *L'Humanité,* il joua un grand rôle dans la vie politique française, par exemple lors des grèves de Carmaux ou au cours de l'affaire Dreyfus.

PARIS — Le Métropolitain - Gare d'Allemagne.

Assassiné d'un coup de revolver le 31 juillet 1914 par Raoul Villain au Café du Croissant à Paris.

*Ancien nom : Allemagne* (jusqu'en 1914), débaptisée du fait de l'ouverture des hostilités avec ce pays.

# Javel

**(André-Citroën)** (Ligne 10 et RER)

**Javel :** nom d'un hameau qui s'étalait le long des berges de la Seine. Une manufacture de produits chimiques y fut créée en 1777, dite du « Comte d'Artois », afin de fabriquer un produit d'entretien détersif décolorant connu sur le nom « d'eau de Javel », mélange d'hypochlorite de potasse, de chlorure de soude et d'eau.

**André Citroën :** ingénieur et industriel français né en 1878 à Paris qui donna une impulsion à l'industrie automobile en France au début de ce siècle. Décédé en 1935. La marque a été dernièrement rachetée par Peugeot S.A.

# Jourdain (Ligne 11)

Fleuve de Palestine, prenant sa source au Liban et servant, en partie, de frontière naturelle entre les Etats d'Israël et de Jordanie. Il traverse le lac de Tibériade et coule ensuite dans une profonde vallée avant de se jeter dans la mer Morte, après un parcours de plus de 300 kilomètres. C'est dans ses eaux que le Christ reçut le baptême, de saint Jean, dénommé ultérieurement « Baptiste » pour cette raison.

## Jules Joffrin (Ligne 12)

François-Alexandre, né en 1846. Décédé en 1890. Conseiller municipal et député du XVIIIe arrondissement de Paris.

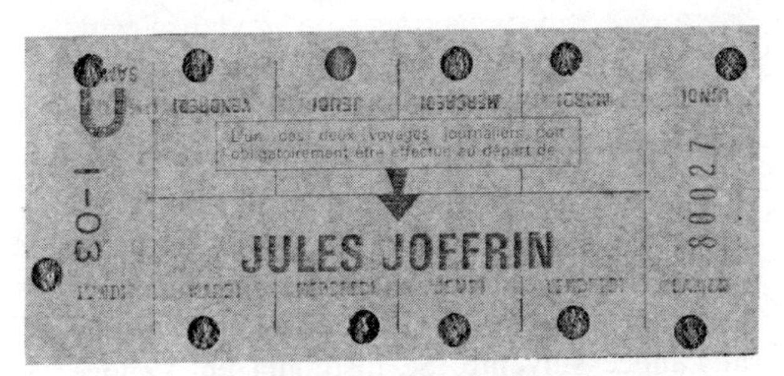


*Ancienne carte hebdomadaire.*

## Jussieu (Lignes 7 et 10)

Famille de naturalistes et botanistes français : Bernard (1699-1777) et son neveu Antoine Laurent (1748-1836) tous nés à Lyon. Ils établirent une classification naturelle des plantes qui remplaça celle de Linné (1707-1778). Auteurs d'un « Traité élémentaire de botanique » (1840).

Sur les quais de cette station se trouvent des vitrines ayant trait au Muséum d'Histoire naturelle.

*Ancien nom : Jussieu-Halles aux vins* (jusqu'au 8 juin 1959).

Halles construites en 1808 sous Napoléon Ier sur le territoire de l'ancienne Abbaye Saint-Victor. Elles furent agrandies en 1868. Les rues intérieures portent le nom de régions vinicoles : Bourgogne, Champagne, Touraine, Bordeaux...

## Kléber (Ligne 6)

Jean-Baptiste, né à Strasbourg en 1753. Militaire français qui s'enrôla en 1792 et devint général l'année suivante. Se distingua en Vendée, à Fleurus et se retrouva chef de l'Armée du Rhin. Il partit ensuite pour l'Egypte avec Bonaparte et commanda l'armée, après le départ de celui-ci. Vainqueur à Héliopolis. Assassiné au Caire en 1800.

## La Chapelle (Ligne 2)

Village du nord de Paris, dépendant de Saint-Denis et rattaché ultérieurement à la capitale. Ce quartier doit son nom à l'église Saint-Bernard de la Chapelle bâtie de 1858 à 1861.

## La Défense (RER)

Quartier ouest de Paris situé entre Puteaux et Courbevoie. Un aménagement récent en a fait un des quartiers les plus modernes de Paris. De nombreuses tours le dominent et lui donnent un petit cachet « new-yorkais » qui n'est pas au goût de tout le monde. Une statue édifiée en 1883 au sommet du Rond-Point de Courbevoie commémorait la défense de la Barrière de Clichy en 1814, d'où son nom.

La station, qui comprend le premier centre commercial du R.E.R., est due à l'architecte Vicariot.

## La Fourche (Ligne 13)

Nom dû à la forme que prenait l'avenue de Clichy, qui se séparait en deux pour aller respectivement aux villages de Clichy et de Saint-Ouen.

Lorsque la station faisait partie de la ligne Berlier « Nord-Sud », un aiguilleur était chargé d'envoyer alternativement sur l'une ou l'autre branche les rames venant de la Gare Saint-Lazare.

## Lamark-Caulaincourt (Ligne 12)

Nom composé de :

A) **Lamarck** (Jean-Baptiste de Monet, chevalier de) : né en 1744 à Bazentin (Somme). Naturaliste français, professeur au Muséum d'Histoire naturelle en 1793. Il établit les bases du « transformisme », c'est-à-dire de l'adaptation au milieu et celles de la variabilité des espèces. Œuvres : « Philosophie zoologique » (1809) ; « Histoire naturelle des animaux sans vertèbres » (1815-1822). Il mourut pauvre en 1829.

B) **Caulaincourt** (Armand, Augustin, Louis, marquis de) : duc de Vicenze né à Caulaincourt (Aisne) en 1772, mort en 1827. Sénateur, général et diplomate français. Ambassadeur en Russie de 1807 à 1811, ministre des Affaires étrangères de 1813 à 1814.

Station située à 25 mètres de profondeur.

## La Motte-Picquet-Grenelle

(Lignes 6, 8 et 10)

Nom composé de :

A) **La Motte-Picquet** (Toussaint, Guillaume, comte de) : né en 1720 à Rennes. Mort en 1791. Amiral français qui se distingua contre les Anglais (1781) ;

B) **Grenelle :** village rattaché à Paris dont le nom est une déformation de garenne, endroit où vivent les lapins sauvages. (Voir Bir-Hakeim - Grenelle.)

## La Muette (Ligne 9)

Ce château, faisant partie du Domaine de Marguerite de Valois, a été offert par cette dernière au dauphin Louis XIII pour sa majorité. Un joli cadeau ! Reconstruit par le régent Philippe d'Orléans, il devint la résidence favorite de sa fille, la duchesse de Berry qui y mourut en 1719. Après l'avoir restauré en 1741, Louis XV l'habita pendant sa minorité, puis la marquise de Pompadour lui succéda en 1764. Le château, modifié en 1783, morcelé en 1791, a été démoli en 1826.

L'origine de son nom reste discutée. Il pourrait s'agir de l'orthographe ancienne de meute, équipage de chiens utilisé pour la chasse aux cerfs dans cette partie du Bois de Boulogne, ou alors ce nom viendrait d'un pavillon de chasse de Charles IX, situé près de Passy, où l'on gardait les mues (bois des cerfs tombés à l'automne). Quoi qu'il en soit, ce nom semble avoir un rapport avec la vénerie.

C'est dans le parc de ce château que Pilatre de Rozier réalisa son premier essai de ballon monté.

## La Tour-Maubourg (Ligne 8)

(Victor de Fay, marquis de), né à La Motte-de-Galaure (Drôme) en 1768. Colonel sous La Fayette, il est fait prisonnier par les Autrichiens en 1797. Général sous le Premier Empire, ministre de la Guerre sous la Restauration, il fut aussi gouverneur des Invalides (voir cette station). Décédé en 1850 au château du Lys.

## Laumière (Ligne 5)

(Xavier, Jean-Marie, Clément Vernhet de), général d'artillerie né en 1812. Mort de ses blessures pendant la Campagne du Mexique en 1863.

## Ledru-Rollin (Ligne 8)

Alexandre-Auguste, né le 3 février 1807 à Paris. Avocat, homme politique, il fut député de l'opposition en 1841; partisan du suffrage universel, il fonda le journal *La Réforme* puis devint membre du gouvernement comme ministre de l'Intérieur de février à juin 1848 aux côtés, notamment, de Louis Blanc (voir cette station). Candidat à la Présidence de la République, le 10 décembre 1848, il n'obtint que 371 431 voix contre 5 434 520 à Louis-Napoléon Bonaparte, 36 920 à Raspail (voir cette station) et 17 900 à Lamartine.

Sa statue en bronze, de Steiner, fondue en 1942, s'élevait place Voltaire dans le XI$^{e}$ arrondissement. Décédé en décembre 1874, à Fontenay-aux-Roses, il est enterré au Père-Lachaise (voir cette station). Sa tombe est ornée d'un buste de Robert David d'Angers.

## Le Peletier (Ligne 7)

Il s'agit de Louis de Mortefontaine, le dernier prévôt des marchands (1784-1789), avant la

Révolution française. A ne pas confondre avec Louis Le Peletier ou Lepeletier de Saint-Fargeau (voir station Saint-Fargeau).

A l'endroit de cette station s'élevait l'ancien Opéra de Paris reconstruit ultérieurement par Garnier, place de l'Opéra.

## Les Gobelins (Ligne 7)

Du nom de la Manufacture fondée au XVe siècle sur les bords de la Bièvre (petite rivière de la région parisienne) par Jean Gobelin, de Rennes, associé à la famille des Canaye, teinturiers « en écarlate ». Cette manufacture fut plusieurs fois transformée pour devenir en 1667 Manufacture Nationale de Tapis, sur l'initiative de Colbert.

Le travail des artisans tapissiers de la Manufacture des Gobelins est minutieuse : une personne tisse en moyenne 1 m² de tapisserie par an.

## Les Halles (Ligne 4 et RER)

Créées en 1135, date à laquelle le roi Louis VI, dit le Gros, installa aux Champeaux un marché public auquel fut adjoint ultérieurement un autre marché par Philippe Auguste. Ce dernier fit construire deux bâtiments, l'un pour les drapiers, l'autre pour les tisserands, l'ensemble étant entouré d'une muraille fermée la nuit. Complété sous le Second Empire par Baltard de 1850 à 1856.

Les rues y portent le nom des différentes corporations. Ce marché a été transféré dernièrement à Rungis dans la banlieue sud de Paris, et les pavillons détruits, au grand dam de certains Parisiens. Un film : « Touche pas la femme blanche », de Marco Ferreri, a été tourné dans le trou creusé par les constructeurs du nouvel ensemble multifonctions : Le Forum des Halles, l'un des endroits les plus fréquentés de la capitale.

## Les Sablons

**(Jardin d'acclimatation)** (Ligne 1)

Doit son nom à une plaine en bordure de la Seine dite « des Sablons », d'où était extrait le sable pour divers travaux de construction de Paris.

**Jardin d'acclimatation** : Jardin d'agrément et de divertissement pour les enfants, situé dans le bois de Boulogne. Inauguré en 1860.

## Liberté (Ligne 8)

Cette station porte le nom de l'une des nombreuses rues en France, utilisant l'un des concepts de la devise républicaine : « Liberté - Egalité - Fraternité ».

## Liège (Ligne 13)

Ville de Belgique, sur la Meuse, à l'endroit où elle reçoit l'Ourthe. Patrie de César Franck, Grétry. Ville industrielle et universitaire. Siège de l'Evêché.

Station fermée, puis rouverte en 1968, mais seulement de 5 h 30 à 20 heures, sauf dimanches et fêtes. Quais décalés.

*Ancien nom : Berlin* (jusqu'en 1914).

Ancienne capitale du Reich (Empire), fondée en 1237 et située de nos jours sur le territoire de la République Démocratique Allemande. Depuis 1961, cette ville est scindée en deux parties : Berlin-Est et Berlin-Ouest. Ce dernier secteur est rattaché à la R.F.A. (République Fédérale Allemande) et correspond aux trois secteurs d'occupation. Contrairement à une idée très répandue, Berlin-Ouest n'est pas la capitale de la R.F.A., qui est Bonn, alors que Berlin-Est est bien la capitale de la R.D.A.

## Louis Blanc (Lignes 7, 7 *bis*)

Cet homme politique, né à Madrid en 1811 et mort en 1882, a été membre du Gouvernement provisoire de 1848. On lui doit un traité sur « l'Organisation du travail » (1839), qui inspira la fondation du Parti socialiste. Historien, il a publié une « Histoire de 10 ans » (1830-1840), écrite entre 1841 et 1844, et une « Histoire de la Révolution française », écrite entre 1847 et 1862.

Son frère Charles (1813-1882), né à Castres, académicien français, fut critique d'art.

## Louise Michel (Ligne 3)

Clémence.

Institutrice née au Château de Vriancourt, en Haute-Marne, en 1830. Elle participa activement à la Commune de Paris (1871) d'où son surnom de « Vierge rouge ».

Déportée, graciée en 1886, elle continua à propager les idées socialistes. Morte en 1905 à Marseille.

*Ancien nom : Vallier* (jusqu'au 1er mai 1946).

Nom d'une montagne de la Chaîne des Pyrénées au nord-est du val d'Aran (2 839 m).

## Lourmel (Ligne 8)

(Frédéric, Henri Lenormand de), général de brigade tué à la bataille d'Inkermann en 1854, lors du siège de Sébastopol (voir Réaumur-Sébastopol). Il était né en 1811 à Pontivy, en Bretagne.

## Louvre (Ligne 1)

Ancienne résidence des rois de France sur la rive droite de la Seine. Commencé sous Philippe Auguste, ce château fut complété et embelli par chacun de ses illustres occupants. Richelieu en particulier fit ajouter le Pavillon de l'Horloge, œuvre de Lemercier, et, de 1660 à 1670, Perrault y édifia la fameuse colonnade sur les ordres de Louis XIV.

Cet édifice a été converti en musée en 1791.

Les quais de la station sont, depuis le 27 septembre 1968, transformés en antichambre du musée et présentent des reproductions de certaines œuvres exposées ainsi que des agrandissements photographiques.

Au Musée du Louvre. — Une visite aux Diamants de la Couronne
LOUVRE
Les Noms des Gares du Métro de Paris
E. R. PARIS. (Modèle déposé, N° 552)

## Luxembourg (RER)

Palais et jardins construits par l'architecte Jacques Salomon de Brosse sur l'initiative de Marie de Médicis de 1615 à 1620. Ce palais, décoré par Rubens, Poussin et Philippe de Champaigne, remplaçait plusieurs hôtels dont celui de François, duc de Pinay-Luxembourg. Ce nom lui est donc resté.

Cet édifice abrite les débats du Sénat depuis 1879.

## Mabillon (Ligne 10)

Dom Jean vit le jour à Saint-Pierremont dans les Ardennes en 1632. Ce moine bénédictin fort érudit fut en quelque sorte le créateur de la Diplomatie, sur laquelle il écrivit plusieurs ouvrages « De re Diplomatica ». Mort à l'Abbaye de Saint-Germain-des-Prés (voir cette station) en 1707. Son buste a été érigé en 1926 dans l'église de Saint-Germain-des-Prés.

## Madeleine (Lignes 8 et 12)

Depuis le VIe siècle, l'évêque de Paris possédait à l'ouest de la capitale un fief qui donna naissance au bourg de La Ville-l'Evêque. La chapelle de ce village était consacrée à Sainte-Marie-Madeleine, pécheresse repentante. Le bourg englobé dans Paris, la chapelle reconstruite plusieurs fois, a donné naissance, difficile d'ailleurs (près de 80 ans) à l'édifice actuel, œuvre de Contant d'Ivry, Guillaume Couture et Vignon.

## Mairie de Clichy (Ligne 13)

Voir Place de Clichy.

## Mairie de Montreuil (Ligne 9)

Voir Boulets-Montreuil.

## Mairie de Saint Ouen (Ligne 13)

Saint-Ouen ou Audoin, né en 609 à Saucy, dans l'Aisne. Evêque de Rouen, il devint chancelier de Dagobert Ier. C'est à la cour de ce dernier qu'il connut Saint-Eloi (évêque de Noyon) dont il devint l'ami. C'est en tant que chancelier qu'il tint conférence avec Thierry III, roi mérovingien. Il mourut le 14 août 683 près de Clichy. Ses restes furent ramenés à Saint-Ouen-l'Aumône, près de Pontoise, puis à Rouen.

## Mairie des Lilas (Ligne 11)

Tête de la première ligne de métro sur pneus mise en circulation en 1956 avec pour terminus Châtelet.

## Mairie d'Issy (Ligne 12)

Commune du sud-ouest de l'agglomération parisienne dans les Hauts-de-Seine, de son nom complet Issy-les-Moulineaux. Nombreuses industries, plus de 50 000 habitants, les Ississois. C'est sur son aérodrome que Henri Farmann réalisa le premier kilomètre en circuit fermé, en avion.

Aujourd'hui Héliport de Paris.

## Mairie d'Ivry (Ligne 7)

Commune du sud de Paris comportant plus de 60 000 habitants (Ivryens). Son nom vient d'un domaine gallo-romain appelé « Ivriacum ». Elle possède de nombreuses industries dont une usine d'incinération d'ordures ménagères produisant de l'énergie pour le chauffage urbain.

## Maison Blanche (Ligne 7)

Elle porte le nom de l'église Sainte-Anne-de-la-Maison-Blanche (nom d'un hameau dû à une maison isolée), fondée par l'abbé Miramont. Il a fallu vingt-sept ans pour la construire (1894-1921) dans un style romano-byzantin œuvre des architectes Bobin et Sandoz.

Cette station, dotée des premiers escaliers mécaniques modernes en 1930, a été conçue comme prototype d'abri anti-aérien, avec renouvellement d'air par gaines métalliques, comme celles de la « Place des Fêtes ».

## Malesherbes (Ligne 3)

(Chrétien, Guillaume de Lamoignon de), magistrat français né à Paris en 1721, directeur de la Librairie du Roi et défenseur des philosophes et encyclopédistes. Devenu ministre de Louis XVI en 1770, il ne put mener à leur terme les réformes qui lui semblaient nécessaires pour la France.

Membre de l'Académie française, il fut aussi l'avocat de Louis XVI devant la Convention en 1792 et guillotiné à ce titre deux ans plus tard.

## Maraîchers (Ligne 9)

De nombreux jardins maraîchers existaient dans cette partie de Paris alors verdoyante et agricole. Elle fournissait partiellement la ville de Paris en fruits et légumes.

## Marcadet-Poissonniers
(Lignes 4 et 12)

Nom composé de :

A) **Marcadet** : lieudit *La Mercade* du latin *Mercadus* (marché), situé sur le territoire de la commune la Chapelle-Saint-Denis;

B) et de **Poissonniers** : chemin indiqué dès 1307 qu'empruntaient jusqu'en 1830 les mareyeurs pour acheminer les poissons pêchés en mer du Nord jusqu'à Paris.

## Marcel Sembat (Ligne 9)

Homme politique français né en 1862, mort en 1921. Membre du Parti socialiste. Il adopta une position nationaliste pendant la « Grande Guerre » 1914-1918.

# Marx Dormoy (Ligne 12)

Homme politique français né à Montluçon en 1888. Maire socialiste de cette ville en 1926, il devient député en 1931, puis sénateur.

Il fut aussi sous-secrétaire d'Etat à la Présidence du Conseil dans le premier Cabinet Léon Blum (1936-1937) (voir station Voltaire - Léon-Blum). Nommé ensuite ministre de l'Intérieur dans les cabinets Chautemps (1937-1938) et Léon Blum (1938). Il lutta à ce titre contre les terroristes du Comité secret d'Action Révolutionnaire (appelé aussi « La Cagoule »). Il mourut assassiné par ces derniers à Montélimar en 1941, où le Gouvernement de Vichy l'avait mis en résidence surveillée.

*Ancien nom : Torcy* (jusqu'au 1er mai 1946).

(Jean-Baptiste Colbert marquis de), neveu de Colbert, né à Paris en 1665, il assura la tâche de secrétaire d'Etat aux Affaires étrangères de 1696 à 1715. Il prit part aux négociations précédant l'ouverture de la Guerre de Succession d'Espagne et de l'acceptation du testament de Charles II par la France. Décédé en 1746.

## Maubert-Mutualité (Ligne 10)

Nom composé de :

A) **Maubert** : sur cette place se rassemblaient au XIIIe siècle les étudiants venus nombreux écouter le célèbre dominicain, Magister Albertus, Albert le Grand, maître de Saint-Louis, lisant les grands textes de la philosophie (Aristote...). Il possédait aussi une grande culture scientifique pour l'époque.

Né en Souabe en 1193, évêque de Ratisbonne, mort à Cologne le 15 novembre 1280. Béatifié par Urbain VIII en 1637 et canonisé le 13 décembre 1931 par Pie XI.

B) **Mutualité** : palais construit en 1931 destiné à recevoir congrès et manifestations diverses, politiques ou non, bals et banquets. En liaison avec la plupart des mouvements mutualistes français.

## Ménilmontant (Ligne 2)

A l'origine, c'est le nom d'un petit hameau formé autour d'un « mesnil » (petite ferme). On le trouve dans une charte de 1224 sous le nom latin de « Mesnil-du-mauvais-temps », transformé au long des siècles. Ce nom pourrait aussi venir de « Mesnil-montant » du fait des caractéristiques topographiques de l'endroit.

Le château de Lepeletier de Saint-Fargeau portait d'ailleurs le nom de : « Château de Ménilmontant ». Cette commune fut rattachée à celle de Belleville juste avant la Révolution et annexée en même temps qu'elle à la capitale. C'est dans cette station que prit naissance l'incendie à l'origine de la tragédie de Couronnes (voir cette station) et dans laquelle sept cadavres furent découverts.

## Michel-Ange-Auteuil (Lignes 9 et 10)

Nom composé de :

A) **Michel-Ange** (Michelangelo Buonarroti dit) : sculpteur, peintre et architecte italien né en 1475 à Caprese, en Toscane. Auteur d'œuvres nombreuses et prestigieuses, en particulier : La Pietà (1498) à Rome, statue de David à Florence, Tombeau des Médicis (1519-1534), il a aussi réalisé les plafonds de la Chapelle Sixtine à Rome. Décédé en 1564;

B) **Auteuil.** Voir Eglise d'Auteuil.

## Michel-Ange-Molitor (Lignes 9 et 10)

Nom composé de :

A) **Michel-Ange** (voir Michel-Ange - Auteuil);

B) **Molitor** : maréchal de France qui battit

l'archiduc Charles à Caldiero en 1805 et défendit avec énergie la Hollande en 1813. L'Hôtel des Invalides (voir cette station) l'eut pour gouverneur en 1847 deux ans avant sa mort. Il était né en 1766 dans la Moselle à Hayange.

## Michel Bizot (Ligne 8)

Général français né à Bitche en 1795. Directeur de l'Ecole polytechnique, il mourut à Sébastopol (voir station Réaumur-Sébastopol), où il dirigeait les travaux du siège de cette ville (1855).

## Mirabeau (Ligne 10)

(Honoré-Gabriel Riqueti, comte de) naquit en 1749 au château de Bignon, dans le Loiret. Après une jeunesse orageuse (son père le fait enfermer au château de Vincennes de 1777 à 1781), il devint député du Tiers Etat d'Aix-Marseille aux Etats généraux, la noblesse l'ayant rejeté. Doué d'un grand talent oratoire, il fut accusé de mener un double jeu et d'être favorable à la monarchie. Inhumé au Panthéon le 3 avril 1791, il en fut retiré après le 10 août 1792.

## Miromesnil (Lignes 9 et 13)

(Armand-Thomas Hue de), né en Orléanais en 1723. Ce magistrat, garde des Sceaux (c'est-à-dire ministre de la Justice) en 1774 abolit la « question préparatoire », nom curieux pour les tortures infligées à l'inculpé avant son jugement, afin certainement de le mettre dans de bonnes dispositions ! Mort en 1796 en Normandie.

En juin-juillet 1977 eut lieu dans cette station une exposition concernant trente-deux poètes.

## Monceau (Ligne 2)

Dès le début du XIVe siècle, un petit village Montchauf, puis Monceaux, fut bâti dans cette région fort giboyeuse, dit-on.

Le duc d'Orléans vint y chasser, et Lavoisier en fit son lieu de villégiature.

## Monge (Ligne 7)

**(Jardin des Plantes) (Arènes de Lutèce)**

Gaspard Monge, mathématicien, né à Beaune en 1746, inventa la géométrie descriptive. Ministre de la Marine en 1793, il dirigea, à ce titre, un groupe de savants chargés d'étudier la façon d'assurer la défense de la France avec les « moyens du bord ». Il participa ainsi à l'Expédition napoléonienne d'Egypte et fournit sur place la première explication

RD-SUD
DE TRAMWAYS
1650 bis. PARIS (VI• et X
station du Metro et N

METRO
arrts) — Place de Rennes
l-Sud (Montparnasse)
F. F.
PARIS

scientifique du phénomène des mirages. Devenu comte de Peluse, il professa à l'Ecole polytechnique (l'« X ») dont il avait été l'un des fondateurs, tout en abandonnant son traitement aux élèves peu fortunés. Mais le Seconde Restauration l'exclut de l'Ecole et même de l'Institut dont il était devenu membre. Il meurt en 1818.

La station présente des maçonneries qui soutiennent les **Arènes de Lutèce,** situées juste au-dessus. Cet amphithéâtre romain, découvert lors du percement de la rue Monge (1869), a été restauré à la fin de la Première Guerre mondiale.

**Jardin des Plantes** : Jardin royal fondé en 1626 par deux médecins de Louis XIII, Herouard et Guy de la Brosse. Dirigé et amélioré par Buffon de 1739 à 1788, il devient sous la Révolution le Muséum d'Histoire naturelle. De nombreux savants, tels Geoffroy Saint-Hilaire, Lamarck, Cuvier, Becquerel, contribuèrent à sa renommée.

## Montgallet (Ligne 8)

Ancienne rue Mangallé, lieudit en 1709, puis Mont-Gallet (1760) puis Montgallet en 1775. Il s'agit peut-être de la déformation, due à l'usage, du nom du propriétaire de l'endroit.

## Montparnasse-Bienvenüe

(Lignes 4, 6, 12 et 13)

Nous nous étendrons un peu plus longuement sur la double signification de cette station, car elle comporte en effet le nom de celui que l'on a familièrement appelé, à juste titre, le « Père du Métro » Fulgence Bienvenüe.

A) **Montparnasse :** partie du XIVe arrondissement annexée à Paris avec d'autres quartiers et villages en 1860.

Fréquentée dès le Moyen Age par les étudiants, c'est au XVIIe siècle que ceux-ci surnommèrent, avec humour mais culture, Mont-Parnasse, une espèce de colline, sans doute constituée de gravats déposés depuis des années, située au carrefour des actuels boulevards Raspail et Montparnasse. Son nom rappelle en effet, une montagne de Grèce, résidence d'Apollon et des Muses, selon la mythologie. Cette butte fut étêtée en 1725, puis supprimée en 1760, lors du percement du boulevard du même nom.

B) **Bienvenüe** (avec un tréma auquel il tenait beaucoup, dit-on, et sur l'origine duquel de nombreuses hypothèses ont été émises).

En effet, sa présence ici n'a pas d'influence sur la prononciation. Il pourrait s'agir entre autres d'une survivance (pour quelle raison ?) d'une orthographe ancienne, de l'origine celtique du nom, voire une simple erreur de l'état civil. Lors de l'association de son nom à Montparnasse les plaques de la station durent être refaites, car on avait omis le tréma !

Fulgence, Auguste, Marie naît le 27 janvier 1852 à Uzel-près-l'Oust, en Bretagne, dans les Côtes-du-Nord, dans une famille de treize enfants dont le père est notaire. Il fait ses études au collège Saint-Martin à Rennes, puis réussit en 1870, deux ans après son arrivée à Paris et une préparation chez les Jésuites de la rue des Postes, le concours d'entrée à Polytechnique. Il choisit ensuite comme école d'application les Ponts et Chaussées, dont il devient ingénieur. On le charge alors de diriger les travaux de chemin de fer des lignes Fougères - Vire et Alençon - Domfront. C'est sur l'un de ces chantiers qu'un accident, en 1881, le prive de son bras gauche.

Il « remonte » ensuite à Paris où on lui confie en 1886 divers travaux d'importance : le percement de l'avenue de la République, la construction d'un funiculaire à câble sans fin, de Belleville aux Buttes-Chaumont et l'adduction des eaux de l'Avre.

Puis on lui offre enfin, à quarante-six ans, ce qui sera l'œuvre de sa vie, la direction des travaux du Métropolitain, en tant qu'Inspecteur Général de la Ville de Paris, qui va lui permettre quelques réalisations techniques intéressantes. Il eut pour adjoints : Réginald Legouez et Louis Brette. Il se marie sur le tard, le 18 avril 1909 avec Jeanne-Julie Loret, veuve d'Antoine Bessette. Il ne prend sa retraite qu'en décembre 1932 à... 82 ans, retraite dont il ne profitera guère d'ailleurs, puisqu'il meurt le 3 août 1936. On l'enterrera au Père-Lachaise dans une tombe ornée d'une palme de bronze offerte par la Ville de Paris.

Mais les témoignages de reconnaissance officiels lui avaient déjà été prodigués. Il a gravi en effet au cours de sa carrière tous les échelons de la Légion d'honneur, chevalier en 1881, commandeur en 1913, grand officier en 1914, grand croix en 1929. C'est aussi de son vivant, le 30 juin 1933, que la station « Maine » devient Bienvenüe, en hommage aux résultats de son travail, mais peut-être aussi un peu à la Bretagne, puisque c'est à cette gare qu'arrivent, en général, les Bretons, qui viennent à Paris. Une récente exposition (1975) lui a aussi été consacrée.

Quatrième station la plus fréquentée du réseau avec 22 millions de voyageurs, elle comporte depuis le 25 juillet 1968 trois trottoirs roulants de 185 mètres, les plus longs du Métro.

*Ancien nom : Gare Montparnasse* (jusqu'au 6 octobre 1942) et jusqu'en 1910 *Maine,* de Louis-Auguste de Bourbon, duc et fils légitime de Louis XIV et de Mme de Montespan, né en 1670 à Versailles. Il possédait un rendez-vous de chasse à Sceaux, dont les derniers terrains venaient jusque dans ces parages, et où il se retira et mourut en 1736.

Sa femme (Anne-Louise de Bourbon, duchesse de), née à Paris en 1678, fille du grand Condé, tint dans sa demeure une véritable cour où se rencontraient les beaux esprits du temps.

## Mouton-Duvernet (Ligne 4)

(Régis, Barthélemy, baron de).

Militaire français, né au Puy-en-Velay en 1769. Général (1811), il participe aux Campagnes de la Révolution et de l'Empire. Il fut gouverneur de Valence sous la Première Restauration, puis gouverneur de Lyon. Son ralliement à Napoléon pendant la période dite des « Cent Jours » lui valut d'être fusillé en 1816 à Lyon.

## Nation (Lignes 1, 2, 6, 9 et RER)

Ancienne place du Trône ainsi dénommée en souvenir de celui qui y fut érigé le jeudi 26 août 1660 lors de l'entrée officielle dans Paris de Louis XIV et de Marie-Thérèse d'Autriche, qui revenaient de Reims où ils avaient été sacrés. On y édifia en 1787, sur les ordres de Colbert, deux pavillons flanqués de deux colonnes surmontées en 1845 des statues de saint Louis et de Philippe-Auguste (voir cette station).

Cette place devint en 1793 place du Trône-Renversé ! Plus de 1 300 personnes y furent guillotinées, dont le poète André Chénier. Sa dénomination actuelle et donc celle de la station

*Edicule de la station « Nation ».*

de métro et du R.E.R. datent de 1880 en l'honneur de la Fête nationale.

Ancien lieu où se tenait la célèbre Foire du Trône aujourd'hui émigrée sur la pelouse de Reuilly dans le Bois de Vincennes.

Essais de portillons automatiques d'admission en avril 1968.

La station du RER est l'œuvre de l'architecte Bourbonnais.

## Nationale (Ligne 6)

Rue du quartier commémorant le souvenir de la Garde du même nom, créée en 1848, lors des mouvements populaires.

## Notre-Dame-de-Lorette (Ligne 12)

Eglise parisienne construite en 1823. Dans la petite ville de Loreto, près d'Ancone, en Italie, a lieu un pèlerinage à la Maison de la Vierge (Santa-Casa). Celui-ci commémore l'arrivée sur les bords de l'Adriatique de Marie escortée par des Anges.

Une colline près d'Arras, dans le Pas-de-Calais, porte aussi le nom de Notre-Dame-de-Lorette.

Vers le milieu du XIXe siècle, on appelait « Lorettes » les prostituées qui fréquentaient ce quartier.

## Notre-Dame-des-Champs (Ligne 12)

Chapelle où les Carmélites de la rue du Faubourg-Saint-Jacques s'installèrent en 1604. Elle a été construite sur l'un des plus anciens sanctuaires de la Vierge situé au VII^e siècle en dehors de l'enceinte de Philippe Auguste. Bossuet y prêcha ainsi que Fléchier.

## Oberkampf (Lignes 5 et 9)

(Christophe-Philippe). Manufacturier (on ne disait pas encore « industriel ») allemand né à Wissenbach (Bavière) en 1738. Naturalisé français, il fonda à Jouy-en-Josas, dans la banlieue parisienne en 1759, la première fabrique de toiles peintes, les fameuses toiles de Jouy. Décédé en 1815.

## Odéon (Lignes 4 et 10)

Ce nom signifie en grec « salle où l'on chante ». De nombreux concours de chant et de musique y eurent en effet lieu de 1773 à 1782, date à laquelle le théâtre prit le relais. Après deux destructions en 1799 et 1818, l'édifice fut reconstruit l'année suivante. Il a subi aussi de multiples péripéties administratives dont la dernière date de 1968. Il est aujourd'hui une annexe de la Comédie-Française, qui s'en sert comme d'un tremplin pour de jeunes auteurs et interprètes.

## Opéra (Lignes 3, 7 et 8)

A l'origine, un opéra est un poème dramatique représenté au théâtre avec accompagnement de musique et de ballets et dont les paroles sont chantées. Par extension, on appelle ainsi le lieu où sont joués de tels poèmes. L'Opéra de Paris est l'œuvre de Charles Garnier, édifié de 1862 à 1874.

Cette station a la particularité de voir se croiser trois lignes superposées, séparées par des planchers métalliques.

Sur les quais se trouvent des vitrines d'acier inoxydable consacrées, à l'origine, aux musées de Paris, aux réalisations de l'E.D.F., à la femme et à l'enfant, puis de nos jours à des fins commerciales.

Le 4 septembre 1927, le colonel de Chaborgne eut la tête prise entre deux portières. Il mourut quelques heures plus tard.

Hector Guimard se vit refuser la réalisation de l'entrée de cette station. On lui reprochait de dénaturer la perspective du Palais Garnier. C'est à l'architecte Cassien-Bernard que revint la charge de concevoir la balustrade en pierre polie de faible hauteur qui subsiste toujours aujourd'hui.

Quatre trottoirs roulants de 80 mètres de long relient « Opéra » à « Auber » (RER).

## Ourcq (Ligne 5)

Rivière traversant La Ferté-Milon et se jetant dans la Marne après un parcours d'une centaine de kilomètres. Elle prend sa source dans la Forêt de Ris dans l'Aisne. Elle a donné son nom au canal qui la relie à la Seine.

Plusieurs batailles y eurent lieu en septembre 1914 (victoire de Maunoury sur Von Klück) et en juillet 1918.

## Palais Royal (Lignes 1 et 7)

Bâtiment construit en 1633 par Lemercier pour Richelieu, d'où son nom, à l'origine, de Palais Cardinal. En 1643, celui-ci fut légué à la Famille royale. Anne d'Autriche et ses deux fils, Louis XIV et Philippe d'Orléans, l'occupèrent à plusieurs reprises. Les Galeries du Palais ont longtemps été un lieu de rendez-vous. De nos jours, il abrite le Conseil d'Etat et le Conseil constitutionnel.

Lors de la construction de la station, on découvrit des maçonneries du mur d'enceinte datant de Charles V.

## Parmentier (Ligne 3)

Baron Antoine, Augustin, né à Montdidier en 1737. Administrateur et agronome français qui généralisa en France, grâce à la protection de Louis XVI, l'emploi de la pomme de terre après la disette de 1769. Membre de l'Académie des Sciences (1795). Mort en 1813 à Paris.

## Passy (Ligne 6)

Commune de la région ouest de Paris rattachée en 1860 au XVIe arrondissement. Station thermale jusqu'à la fin du XIXe siècle. Balzac, Victor Hugo et Lamartine y habitèrent. Ils goûtaient le calme et la beauté de l'endroit.

## Pasteur (Lignes 6 et 12)

Louis, né à Dôle en 1822, mort en 1895 à Villeneuve-l'Etang. Ce chimiste et biologiste fort connu a créé la microbiologie. Ses travaux ont ouvert de nouveaux horizons à la médecine, en particulier sur les maladies infectieuses et l'asep-

*Quai de la station « Pasteur ».*

sie. Il mit en pièces la théorie de la génération spontanée de Pouchet. Il découvrit des vaccins et une méthode pour prévenir la rage après morsure (1885), il élabora une méthode de conservation des liquides susceptibles de fermentation, comme la bière, connue encore aujourd'hui sous le nom de « pasteurisation ».

Fondé en 1888, un institut porte son nom ; il permit à ses élèves de poursuivre leurs recherches.

Membre de l'Académie des Sciences (1862) et de l'Académie française (1881), il fit l'oraison funèbre de Henri de Saint-Claire Deville (inventeur du premier procédé de fabrication industrielle de l'aluminium, 1854).

On tourna dans cette station le film « Métropolitain » de Maurice Cain en 1938 avec Albert Préjean, Ginette Leclerc et André Brulé.

## Pelleport (Ligne 3 *bis*)

Le vicomte Pierre de Pelleport (1773-1855) était général de division. Il fut blessé de trente coups de sabre et de cinq coups de baïonnette à la bataille d'Eylau en 1807. Engagé volontaire sous le Consulat, il servit surtout les armées de la Restauration et fit partie de la Chambre des Pairs en 1841.

A remarquer l'édicule, selon le terme consacré, qui abrite la machinerie des ascenseurs, récemment modernisés. Construit en 1922 sur les plans de l'architecte Plumet, il est semblable à ceux des stations « Saint-Fargeau » et « Porte des Lilas » (Voir ces stations.)

## Pereire
**(Maréchal-Juin)** (Ligne 3)

**Péreire :** nom de deux frères d'origine espagnole nés à Bordeaux, l'un en 1800, l'autre en 1806. Banquiers (Crédit mobilier, 1852), ils prirent une part active à l'extension des chemins de fer en France. Après avoir fait partie du Mouvement saint-simonien, ils devinrent députés au Corps législatif de 1863 à 1869, l'un pour La Réole, l'autre pour les Pyrénées-Orientales.

Jacob-Emile mourut à Paris en 1875 et son frère Isaac disparut en 1880 à Armanvilliers.

**Alphonse Juin** : maréchal de France en 1952, né à Bône en 1888. Commandant des Forces françaises en Italie (1943-1944), il devint résident général au Maroc de 1947 à 1951, puis, de 1953 à 1956, commandant en chef des Forces atlantiques du secteur Centre-Europe. Membre de l'Académie française, décédé en 1967.

## Père Lachaise (Lignes 2 et 3)

A cet endroit s'élevait au XVII^e siècle une maison de repos des jésuites appelée Mont-Louis. Le Père François d'Aix de La Chaise (1624-1709) y séjourna, la modernisa et son nom resta ainsi attaché à cette résidence. Après avoir été professeur de sciences et de philosophie à Lyon, le « Père Lachaise » devint le confesseur de Louis XIV de 1674 à sa mort. Le roi lui confia même quelques missions de nature politique.

Sur l'emplacement de cette résidence fut installée en 1804 le plus vaste, le plus célèbre et le plus visité des cimetières parisiens; il est aussi appelé Cimetière de l'Est. Dessiné par Brongniart, il regroupe sur 47 hectares environ, plusieurs centaines de milliers de tombes dont celles d'un grand nombre de personnages célèbres, citons Molière, La Fontaine, Félix Potin, Monge, Raspail... De nombreuses autres célébrités de la musique, de la peinture, des lettres ou de la politique y ont aussi leur sépulture. Ce cimetière possède également un four crématoire et un colombarium destiné à conserver les urnes contenant les cendres des défunts. C'est aussi en ce lieu que furent fusillés le 28 mai 1871, le long d'un mur appelé depuis « Mur des Fédérés », 147 communards survivants de la furieuse bataille qui les opposa aux troupes versaillaises.

Cette station fut « désodorisée » en 1907, avec peu de succès, semble-t-il, puisque cette expérience ne fut pas généralisée.

## Pernety (Ligne 13)

(Vicomte Joseph-Marie de), général de division né à Lyon en 1766 et mort en 1856. C'est sur sa propriété que fut percée en 1868 la rue qui porte son nom.

Un autre Pernety, Dom Antoine-Joseph (1716-1801), a été l'aumônier de l'expédition de Bougainville aux îles Malouines en 1763.

Entrée de la station en rez-de-chaussée d'immeuble.

## Philippe-Auguste (Ligne 2)

Roi de France né en 1165 et mort en 1223 à Mantes après quarante-trois ans de règne. Il renforça les pouvoirs de la dynastie des Capétiens à laquelle il appartenait, en menant la lutte contre les rois d'Angleterre.

La célèbre bataille de Bouvines (1214) qu'il remporta lui permit de rattacher à la couronne plusieurs provinces. Il administra efficacement son royaume en nommant sur place des baillis et des sénéchaux, sorte de préfets, qui le représentaient dans les provinces éloignées.

Philippe II Auguste fit construire le premier château du Louvre et accéléra l'édification de Notre-Dame. Il donna aussi des statuts à l'Université de Paris.

## Picpus

**(Courteline)** (Ligne 6)

**Picpus** : nom d'un village à l'étymologie incertaine, Picque Pusse au XII^e siècle, Pique Pus, puis Picpus à partir du XVI^e siècle, où était établi un couvent.

**Courteline** (Georges Moineaux, dit) : écrivain français né à Tours en 1858, auteur de nombreux récits dont « Le train de 8 h 47 » (1888) et de comédies : « Boubouroche » (1893), « La Paix chez soi » (1903), etc.

## Pierre Curie (Ligne 7)

Né à Paris en 1859, rue Cuvier. Son père était préparateur au Muséum d'Histoire Naturelle. Physicien et chimiste, il découvrit avec sa femme Marie (née Sklodowska) le radium en 1898.

Prix Nobel de physique en 1903. Décédé en 1906.

## Pigalle (Lignes 2 et 12)

Jean-Baptiste Pigalle, statuaire français né à Paris en 1714 a habité dans la rue qui porte son nom de 1756-1757 à 1770 ou 1782. Ses principales œuvres furent : le Monument du Maréchal de Saxe situé dans le Temple de Saint-Thomas à Strasbourg ; le Tombeau du Maréchal d'Harcourt, Mercure attachant ses talonniers, etc. Mort en 1785.

# Place de Clichy (Lignes 2 et 13)

Du nom de la grande rue qui menait au village du même nom et à celui de Saint-Ouen. Elle coupait le Mur des Fermiers généraux en cet endroit où Ledoux édifia la fameuse Barrière de Clichy. De violents combats opposèrent, les 29 et 30 mars 1814, les Cosaques du général comte de Langeron aux soldats du maréchal Moncey, dont la statue orne la place.

C'est par cette barrière que, le 20 mars 1815, Louis XVIII sortit de Paris, lors du retour de Napoléon Iᵉʳ.

Le 20 janvier 1904, une panique, heureusement sans conséquence, eut lieu dans cette station, la tragédie de Couronnes (voir cette station) étant encore fraîche dans les mémoires.

## Place des Fêtes (Lignes 7 *bis* et 11)

Place créée en 1836, et où se tenaient les fêtes de la commune de Belleville, non encore rattachée à Paris.

De nombreuses difficultés entravèrent la construction de cette station, du fait de l'existence de marnes à huîtres, mais cela permit aussi de découvrir de nombreux ossements fossiles.

Cette station a été conçue comme prototype d'abri (1936) telle que Maison-Blanche (voir cette station), avec des gaines servant au renouvellement de l'air.

Pendant la Seconde Guerre mondiale, elle a été transformée en usine de pièces détachées d'avion par les Allemands, qui enlevèrent les rails et installèrent des machines sur les quais, profitant ainsi de la protection des 24 mètres de profondeur de cette station qui possède le plus long escalier mécanique (20,32 m) et la plus forte dénivellation (22,45 m).

Seule station du réseau construite en briques rouges.

## Place d'Italie (Lignes 5, 6 et 7)

En cette place, aboutissait à Lutèce l'ancienne voie venant de Rome par Lyon. C'est par cette place que Napoléon Ier entra dans Paris lors de son retour, le 20 mars 1815.

## Place Monge

Voir Monge.

## Plaisance (Ligne 13)

Petit hameau rattaché à Paris lors du grand mouvement d'annexion de 1860. C'était le nom, bien choisi pour attirer la clientèle, d'un lotissement réalisé en 1857 dans le Parc du Château du Maine.

## Poissonnière (Ligne 7)

Rue située sur l'itinéraire qui amenait aux Halles centrales de Paris la marée venant des ports du Détroit, c'est-à-dire du Pas-de-Calais (mer du Nord).

## Pont de l'Alma (RER)

Voir Alma-Marceau.

## Pont de Levallois-Bécon (Ligne 3)

Levallois-Perret, commune industrielle de l'agglomération parisienne et Bécon-les-Bruyères, gare sur le territoire de la commune de Courbevoie.

## Pont de Neuilly

**(Avenue de Madrid)** (Ligne 1)

Pont sur la Seine portant le nom d'une commune de la région parisienne existant dès le XIIIe siècle et déjà à la mode vers la fin de l'Ancien Régime. Une partie a été rattachée à Paris : les Terres.

## Pont de Sèvres (Ligne 9)

Pont sur la Seine reliant Paris à cet ancien village, célèbre pour sa manufacture de porcelaine, fabriquée à base de kaolin. Celle-ci, antérieurement située à Vincennes depuis 1739, fut transférée à Sèvres en 1756 sur la requête de la Pompadour. Elle devint manufacture royale en 1759, puis nationale. Cette ville vit la signature d'un traité entre les Alliés et la Turquie le 10 août 1920.

Celui-ci marquait la dislocation de l'Empire ottoman contre lequel se révolta Mustapha dit Kémal, plus tard nommé Atatürk.

## Pont Marie

**(Cité des Arts)** (Ligne 7)

Pont sur la Seine construit sous Louis XIII de 1614 à 1635. Il comportait sur ses bords une cinquantaine de maisons comme cela se faisait à l'époque. Emporté par une crue en 1638, reconstruit en 1650, les maisons furent remplacées par des boutiques comme sur le Ponte Vecchio à Florence.

## Pont Neuf (Ligne 7)

Premier pont de Paris à ne pas comporter de maisons sur ses bords. Achevé au tout début du XVIIe siècle, la première pierre en avait été posée le 31 mai 1518. Lieu de promenade et de rencontres, les demi-lunes étaient occupées par de petites échoppes. Une expression populaire disait que l'on pouvait y rencontrer : « un moine, une putain, un cheval blanc ». Tout un programme !

Cette station fut l'une des trois premières à être, en 1974, rénovée à l'aide de carreaux de couleur.

## Port-Royal (RER)

Abbaye féminine fondée en 1204 près de Chevreuse (Yvelines), dans le vallon de Porrois, qu'on latinisa en Porreguis, puis en Portus Régis, d'où Port-Royal en français. Transférée à Paris en 1625, elle devint en 1635 le foyer du Jansénisme. En 1648, un groupe de penseurs se réinstalla à Chevreuse dont Racine fut l'élève. Après une phase de persécution, l'abbaye a été démolie en 1710. Le monastère conserva un temps la sainte Epine qui dit-on guérit la sœur de Blaise Pascal.

## Porte Dauphine

**(Maréchal de Lattre de Tassigny)** (Ligne 2)

**Porte Dauphine :** porte percée à l'extrémité de la Belle Faisanderie de Marie-Antoinette, alors épouse du dauphin. L'entrée de cette station est abritée par le seul édicule d'Hector Guimard qui subsiste avec celui de la station « Abbesses »;

**de Lattre de Tassigny :** commandant de la 1re Armée française qu'il mena de Provence au Rhin, puis au Danube (1944-1945). Il devint ensuite haut commissaire et commandant en chef pendant la guerre d'Indochine (1950-1952). Maréchal à titre posthume en 1952.

Né en 1889 à Mouilleron-en-Pareds comme son aîné Clemenceau (voir station « Champs-Elysées - Clemenceau).

## Porte d'Auteuil (Ligne 10)

Ancien village (XVIe s.) de la banlieue parisienne, rattaché au XVIe arrondissement de Paris.

## Porte de Bagnolet (Ligne 3)

Ancienne porte de Paris donnant sur la commune du même nom, ajourd'hui située dans le département de Seine-Saint-Denis (93). Célèbre dans le passé pour ses jardins fruitiers, elle possède toujours des carrières de gypse (plâtre) qui ne sont plus exploitées de nos jours.

## Porte de Champerret (Ligne 3)

Lieudit, sans doute du Champ-Perret, nom du premier propriétaire des terrains situés à cet endroit.

## Porte de Charenton (Ligne 8)

Voir Charenton-Ecoles.

## Porte de Choisy (Ligne 7)

Du nom de la rue conduisant dès 1672 à Choisy-le-Roi, commune du sud de Paris dans le Val-de-Marne, sur la Seine. Un château, œuvre des Gabriel, permettait à Louis XV d'y recevoir ses favorites.

## Porte de Clichy (Ligne 13)

Voir Place de Clichy.

## Porte de Clignancourt (Ligne 4)

Nom d'un ancien hameau dont la Seigneurie appartint aux familles des Liger et des Brisard, puis à l'Abbaye de Montmartre, et annexé en 1860 à la Ville de Paris. Son nom vient peut-être d'un domaine gallo-romain appelé « Clénimus » ou « Clinuricurtis ».

## Porte de la Chapelle (Ligne 12)

Voir La Chapelle.

## Porte de la Villette (Ligne 7)

Ancien bourg, dont le nom signifie, bien sûr, petite ville, annexée à Paris en 1860 et faisant partie du XIX^e arrondissement. Célèbre pour son marché aux bestiaux et ses abattoirs, démolis puis reconstruits sans avoir jamais été utilisés.

## Porte de Montreuil (Ligne 9)

Voir Boulets-Montreuil.

## Porte de Pantin (Ligne 5)

Voir Eglise de Pantin.

## Porte de Saint-Ouen (Ligne 13)

Voir Mairie de Saint-Ouen.

## Porte de Saint-Cloud (Ligne 9)

Petit-fils de Clovis et de sainte Clotilde, Cloud fut le seul fils de Clodomir à avoir échappé au poignard de Clotaire.

Saint Séverin lui conseilla de se retirer sur ses terres de la banlieue ouest de Paris. Le village de Nivigentum où il fut enterré vers 560 devint un lieu de pèlerinage et finit par porter son nom (habitants, les Clodoaldiens).

## Porte des Lilas (Lignes 11 et 3 *bis*)

Cette ancienne porte de Paris s'ouvrait sur la commune des Lilas, constituée en 1867 par un démembrement de celle de Romainville. Cette commune et cette porte devaient leur nom aux jardins, embaumés de ces jolies fleurs qui couvraient leurs parages au Second Empire et jusqu'au début de notre siècle. Peut-être y en a-t-il encore aujourd'hui, mais ils ne sont guère visibles de la rue !

La station fut la tête (et le terminus) de la première ligne de métro sur pneus (n° 11), inaugurée le 13 novembre 1956 après une période de mise au point et d'essais sur la navette « Pré Saint Gervais - Porte des Lilas ».

## Porte de Vanves (Ligne 13)

Commune de la région sud de Paris, dans les Hauts-de-Seine (92), qui se consacrait autrefois comme beaucoup d'autres aux cultures florales et maraîchères. Aujourd'hui lieu d'implantation de diverses industries.

A partir du 17 février 1969, station équipée de portillons automatiques expérimentaux.

## Porte de Versailles (Ligne 12)

Porte de Paris s'ouvrant sur la route qui menait à cette ville distante de 23 kilomètres de la capitale. Son château, dû à Le Vau et Mansart entre autres, et dont le parc a été conçu par Le Nôtre, est un des plus visités du monde. Résidence de Louis XIV et patrie de plusieurs rois et hommes célèbres dont l'abbé de l'Epée, Ferdinand de Lesseps et le général Hoche (voir cette station). De nombreux événements historiques s'y sont déroulés, notamment, le Traité du 28 juin 1919 mettant fin à la Grande Guerre.

## Porte de Vincennes (Ligne 1)

Ancienne porte de l'enceinte de Thiers s'ouvrant sur la commune de Vincennes (94), célèbre pour son château avec donjon du XII^e^ siècle, son bois et son zoo. Elle est aussi la patrie du poète Théodore de Banville.

Tête de la première ligne de métro alors appelée A, qui comportait dix-huit stations réparties sur 10 kilomètres. Cette ligne, qui permettait de traverser Paris d'est en ouest en une trentaine de minutes au lieu de 1 h 30 environ par les moyens de surface, a été inaugurée quasi clandestinement le 19 juillet 1900 vers 13 heures par Fulgence Bienvenüe, ingénieur en chef des travaux, ses collaborateurs, des membres du Conseil Municipal ainsi que quelques reporters et badauds. Cet événement passa presque inaperçu dans la fièvre de l'ouverture de l'Exposition Universelle. Mais les Parisiens ne s'y trompèrent pas, qui s'y précipitèrent à plus de 500 000 avant la fin de ce chaud mois de juillet et à plus de 4 millions avant la fin de la même année. On a fait mieux depuis !

## Porte d'Italie (Ligne 7)

Voir Place d'Italie.

## Porte d'Ivry (Ligne 7)

Voir Mairie d'Ivry.

## Porte Dorée (Ligne 8)

Ce nom provient soit de dorées, c'est-à-dire fientes de cerfs ou de biches, sans doute nombreux à une époque dans ces parages, soit d'une contraction de « l'orée » du bois devenue Dorée.

De nos jours, une statue de femme, dorée, œuvre de Rudier, orne cet endroit.

C'est dans cette station que fut retrouvée, le jour de la Pentecôte, 17 mai 1937, vers 18 h 30, dans un wagon de la rame 382, le corps d'une femme, un couteau à cran d'arrêt planté dans le cou. Il s'agissait de Yolande-Lætitia Toureaux, née dans le val d'Aoste le 11 septembre 1907 et demeurant 3, rue Pierre-Bayle, dans le XXe arrondissement. Son meurtrier n'a jamais été retrouvé, car il a dû passer, après avoir commis son crime, dans une autre voiture, et descendre à l'arrivée dans la station.

Veuve depuis deux ans d'un artisan et bien qu'apparemment rangée, cette femme, entre mille métiers, avait tenu le vestiaire de l'As de Cœur, un bar de la rue des Vertus, et servi peut-être à ce titre d'indicatrice de police. Parmi les nombreuses hypothèses émises, celle d'un crime de l'organisation « La Cagoule » a été envisagé. Des témoins ont déclaré l'avoir vu sortir d'un bal à Maisons-Alfort et prendre le métro à « Porte de

Charenton ». Il pourrait donc s'agir aussi d'un crime passionnel dont s'est d'ailleurs accusé quelqu'un de nombreuses années plus tard.

## Porte d'Orléans

**(Général-Leclerc)** (Ligne 4)

**Orléans** (voir Gare d'Orléans-Austerlitz) ;

**Général Leclerc** (Philippe de Hauteclocque, dit) : maréchal de France à titre posthume en 1952, né à Belloy-Saint-Léonard, en Picardie, en 1902. Décédé le 28 novembre 1947 dans un accident d'avion à Colomb-Béchar, alors qu'il inspectait les Forces Françaises en Afrique du Nord. Il repose aux Invalides.

Fait prisonnier pendant la Seconde Guerre mondiale, il s'évade et rejoint le général de Gaulle à Londres. Il se distingue ensuite au Tchad, en Libye (Serment de Koufra) et en Tunisie. Débarqué en Normandie en 1945, il entre à Paris à la tête de la 2e Division blindée qu'il avait créée, puis il délivre Strasbourg le 23 novembre 1944. Il commanda ensuite le Corps expéditionnaire français en Indochine.

# Porte Maillot (Ligne 1)

Son nom était au départ Mahiaulx ou Mahiau, peut-être dû à la présence d'un jeu de mail (sorte de croquet). En 1668, il est fait état de Mahiot, puis Maillot. Terminus de la première ligne venant de la Porte de Vincennnes.

# Pré Saint Gervais (Ligne 7 *bis*)

Hameau où se déroulèrent dans le passé de nombreux meetings et manifestations ouvrières. Du nom de la chapelle bâtie au milieu d'une prairie, dédiée à saint Gervais, martyrisé à Milan. C'est saint Ambroise (voir cette station) qui retrouva ses reliques en 386.

De nombreux éboulements se produisirent lors

du percement du tunnel. Une navette reliait cette station à Porte des Lilas, ouverte jusqu'à la veille de la guerre. Depuis la fin des hostilités, elle sert à l'expérimentation des nouvelles techniques : rames sur pneus, pilotage automatique, etc.

## Pyramides (Ligne 7)

Victoire remportée par les cinq divisions de Bonaparte en Egypte le 21 juillet 1798, sur les mameluks de Mourad Bey. C'est à l'issue de cette victoire que Bonaparte prononce à ses soldats la fameuse phrase : « Du haut de ces pyramides, quarante siècles vous contemplent. » Allusion au fait que les pyramides servaient de tombeaux aux grands rois égyptiens momifiés.

## Pyrénées (Ligne 11)

Nom d'une chaîne de montagnes du sud-ouest de la France faisant office de frontière avec l'Espagne sur plus de 400 kilomètres, entre le golfe de Gascogne (Atlantique) et le golfe du Lion (Méditerranée). Le point culminant en est le pic d'Aneto (3 404 m), situé dans les Pyrénées-centrales, sur le territoire espagnol. Certains de ses cols sont fort connus, soit pour des raisons historiques (Roncevaux), soit pour des raisons sportives (le Tourmalet).

## Quai de la Gare (Ligne 6)

Nom provenant, non pas d'une station de chemin de fer comme on pourrait fort bien le penser, mais d'une « gare d'eau », c'est-à-dire d'un bassin destiné à abriter des bateaux. Il en existait un sur cette rive gauche de la Seine dans les années 1760.

## Quai de la Rapée (Ligne 5)

Le sieur de La Rapée était commissaire des Guerres, sorte de ministre de la Défense d'alors sous Louis XV (1551), et possédait à cet endroit une résidence d'été. Cette station fut le 21 janvier 1910 complètement submergée lors de la crue historique de la Seine.

1939 PARIS. — Services du Chemin de Fer Métropolitain, Usines de production d'Énergie électrique, Quai de la Rapée : les Chaudières

*Ancien nom : Pont d'Austerlitz* (jusqu'au 1er mai 1916 (voir Gare d'Orléans-Austerlitz) et antérieurement *Mazas,* ancienne prison de Paris portant le nom de Jacques-François-Marc Mazas. Colonel français né en 1765 à Marseille, il combattit en Amérique puis en Italie et fut tué à Austerlitz le 2 décembre 1805.

## Quatre Septembre (Ligne 3)

Le tout est de savoir de quelle année !

Ici 1870, date de la proclamation de la IIIe République qui succédait au Second Empire.

## Rambuteau (Ligne 11)

(Claude-Philibert Barthelot, comte de), né à Mâcon en 1781, mort en 1869 à Champgrenou. Préfet de la Seine de 1833 à 1848, il rénova de nombreuses ruelles de Paris et remplaça l'éclairage à huile existant par l'éclairage au gaz.

La RATP y envisage la réalisation d'un mini-musée d'art moderne (proximité du Centre Pompidou).

## Ranelagh (Ligne 9)

Vers 1750, lord Ranelagh, pair d'Angleterre, avait installé dans le parc de sa propriété de Chelsea, voisine de Londres, un kiosque sous lequel un orchestre donnait quotidiennement des concerts publics. Après sa mort, une société racheta le parc, continua à y donner des concerts ainsi que des bals et des fêtes. En 1772, deux artificiers du roi obtinrent du maréchal de Soubise, alors gouverneur du Château de La Muette (voir cette station), l'autorisation d'établir un semblable édifice sur une pelouse du château. Adopté par la Cour, agrandi en 1779, le Ranelagh disparut vers le milieu du XIXe siècle.

## Raspail (Lignes 4 et 6)

François Vincent, chimiste français né à Carpentras en 1794. Il utilisa le camphre pour détruire les parasites responsables, selon lui, de nombreuses maladies. Il fut aussi un homme politique, député de la Constituante de 1848, partisan du suffrage universel, ce qui lui valut bien des ennuis à l'époque (déportation). Auteur de livres tels « Le Vétérinaire » (1854) et « Réformes sociales » (1872). Mort en 1878 à Arcueil-Cachan dans la banlieue sud de Paris.

## Réaumur-Sébastopol (Lignes 3 et 4)

Nom composé de :

A) **Réaumur** (René-Antoine Ferchault de) : né à La Rochelle en 1683. Sorte de « touche à tout » scientifique, à la fois mathématicien, physicien, chimiste, naturaliste, parfois surnommé le « Pline du XVIII^e^ siècle ». Son nom reste plus particulièrement attaché à l'invention d'un thermomètre et au verre dévitrifié (blanc opaque). Un de ses ouvrages parmi d'autres : « Mémoires pour servir à l'histoire des insectes » (1734-1742). Décédé en 1757 à Saint-Julien-du-Terroux;

B) et de **Sébastopol :** ville de Crimée aujourd'hui sur le territoire de l'Union soviétique. Arsenal et port sur la mer Noire, fondé en 1783 par le prince Potemkine. En septembre 1855, la ville a été prise d'assaut par une armée franco-anglaise après un an de siège et de dures batailles. Puis durant la Seconde Guerre mondiale, la ville, bombardée jusqu'au dernier pan de mur en novembre 1941, ne se rendit qu'en juillet 1942.

## Rennes (Ligne 12)

La rue de Rennes relie le boulevard Saint-Germain au boulevard Montparnasse. Elle porte ce nom du fait de la proximité de la gare Montparnasse où arrivaient de nombreux Bretons désireux de tenter leur chance à Paris.

Rennes, située au confluent de l'Ille et de la Vilaine, est la patrie de La Chalotais et de La Motte-Picquet (voir cette station).

Station fermée pendant la guerre, elle a été réouverte le 23 juin 1968, de 5 h 30 à 20 heures, sauf dimanches et fêtes.

## République (Lignes 3, 5, 8, 9 et 11)

Cette place s'orne d'une statue en bronze de 9,50 m sur piédestal, œuvre de Dalou, inaugurée le 14 juillet 1884, et destinée à symboliser l'histoire de la République jusqu'à la III$^{e}$ République. Depuis lors, deux autres républiques se sont succédé jusqu'à nos jours.

L'entrée principale de la station, œuvre de Cassien-Bernard, se trouve à l'emplacement du Théâtre lyrique fondé en 1847 par Alexandre Dumas dans lequel eut lieu la première représentation du « Faust » de Gounod.

Lors de la construction de la station, on retrouva, dans un ancien marais, les fondations sur pilotis de la Porte du Temple, qui faisait alors partie de l'enceinte de Charles V.

« République » est le nœud de rencontre de cinq lignes. Elle a été équipée des premiers escaliers mécaniques modernes en 1931. Sixième station la plus fréquentée du réseau avec 14 millions de voyageurs.

## Reuilly-Diderot (Lignes 1 et 8)

Nom composé de :

A) **Reuilly :** à l'origine, manoir servant de résidence champêtre aux rois mérovingiens, autour duquel se forma le petit hameau de Reuilly, aujourd'hui intégré au XII$^{e}$ arrondissement de Paris;

RÉPUBLIQUE
Le 14 Juillet 1789
ÉGALITÉ
TERNITÉ
E. R. PARIS. (Modèle déposé, N° 552)
Les Noms des Gares du Métro de Paris

B) et de **Diderot** (Denis) : né à Langres en 1713, écrivain français, animateur de l'Encyclopédie (1749). Auteur dramatique, il s'essaya aussi à la critique d'art. Nombre de ses œuvres ne furent publiées qu'après sa mort survenue le 29 juillet 1784 dans l'Hôtel de Bezons, 39, rue de Richelieu. En particulier, « Jacques le Fataliste » (1798) et « Le Neveu de Rameau » (1823).

## Richard-Lenoir (Ligne 5)

On croit souvent qu'il s'agit d'une seule et même personne, mais il n'en est rien, c'est un nom composé des patronymes de deux associés :

A) **François Richard** : né à Epinay-sur-Odon (Calvados) en 1765, mort à Paris en 1839;

B) et de **Joseph Lenoir-Dufresne :** né à Alençon, mort à Paris (1768-1806).

Ils dirigeaient la première manufacture de coton installée à Paris, rue de Charonne, au début du XVIII^e siècle.

La confusion vient du fait que Richard prit le nom de Richard-Lenoir à la mort de celui-ci.

## Richelieu-Drouot (Lignes 8 et 9)

Nom composé de :

A) **Richelieu** (Armand du Plessis, duc de) : né en 1585, mort en 1642. Cardinal, ministre de Louis XIII. Fondateur de l'Académie française;

B) et de **Drouot** (Antoine, comte de) : né à Nancy en 1774. Général d'artillerie, pair de

France, il suivit Napoléon dans son premier exil à l'île d'Elbe en Italie. Mort en 1847.

Un monument, aux 878 agents du métro morts pour la patrie, a été érigé dans cette station.

## Riquet (Ligne 7)

(Pierre, Paul de), né à Béziers en 1604 ; cet ingénieur français commença à diriger la construction du canal du Midi qu'il ne put terminer malgré la protection de Colbert et les deniers qu'il mit dans l'affaire. Mort en 1680 à Toulouse.

Entrée de la station au rez-de-chaussée d'un immeuble.

## Robespierre (Ligne 9)

(Maximilien de), avocat français né à Arras en 1758. Conventionnel, chef des Montagnards, instigateur en 1793 de la chute des Girondins et à l'origine de « la Terreur ». Son surnom « d'Incorruptible » ne l'empêcha pas de monter sur l'échafaud le 27 juillet 1794.

Entrée de la station au rez-de-chaussée d'un immeuble.

## Rome (Ligne 2)

De nombreuses rues du quartier portent le nom de grandes villes européennes. Rome est la résidence des papes et, depuis 1870, la capitale de l'Italie. Bâtie sur sept collines, elle recèle de nombreux monuments mondialement connus : le Forum, le Colisée, la Basilique Saint-Pierre, etc.

Elle a aussi été en 1960 le siège des Jeux Olympiques.

## Rue de la Pompe

**(Avenue Georges-Mandel)** (Ligne 9)

Cette « **pompe** » alimentait en eau les fontaines et jardins du Château de La Muette (voir cette station);

**Georges Mandel :** homme politique français, né à Chatou en 1885. Collaborateur de Clemenceau, dont il fut chef de cabinet en 1916, il obtint aux élections de novembre 1916 un siège de député de la Gironde. Ministre de l'Intérieur en mai 1940, il a été assassiné par des miliciens du Régime de Vichy en 1944.

## Rue des Boulets - Rue de Montreuil - Voir Boulets-Montreuil.

## Rue du Bac (Ligne 12)

Ce n'est pas le lieu préféré des monômes de potaches après les épreuves du baccalauréat ! Mais c'est à cet endroit que les blocs de pierre dont on allait faire le Château des Tuileries traversaient la Seine sur un bac (bateau à fond plat) prévu à cet effet.

## Rue Montmartre (Lignes 8 et 9)

Du nom du chemin qui menait de Paris au village de Montmartre. Son nom provient peut-être de Mont du Martyr, saint Denis (voir Strasbourg-Saint-Denis) y ayant subi la décollation.

Appelé « Mont Marat » pendant la Révolution par allusion au révolutionnaire assassiné, dans sa baignoire, par Charlotte Corday. Marat devait y séjourner plusieurs heures par jour en raison d'une maladie de peau lui provoquant d'intenses démangeaisons.

## Saint Ambroise (Ligne 9)

L'un des quatre grands docteurs de l'Eglise latine, né à Trêves en Allemagne vers 339. Son père était un haut fonctionnaire romain. En 374 la ville de Milan, en Italie, eut à choisir un évêque. L'élection promettait d'être délicate, mais un enfant le désigna, suivi par toute la population. Il n'était cependant que catéchumène et en huit jours il reçut le baptême et le sacerdoce lui permettant d'accomplir sa mission. Au cours de sa vie, il baptisa saint Augustin (voir cette station). Il mourut le 4 avril 397 à Milan et fut inhumé dans la Basilique San Ambrogio au côté de saint Gervais (voir station Pré-Saint-Gervais).

## Saint Augustin (Ligne 9)

Le plus illustre des docteurs de l'Eglise latine, natif de Tagaste en Algérie (de nos jours Souk-Ahras), le 13 novembre 354 d'un père athée. Il se convertit au christianisme sous l'influence de sa mère, sainte Monique, et de saint Ambroise (voir cette station), qui le baptisa en 387. Il passa la seconde partie de sa vie à Hippone (aujourd'hui Bône), dont il devint évêque en 395, et où il mourut le 28 août 430.

Son culte a été entretenu à Paris par les Petits et les Grands Augustins. Le siège de la R.A.T.P. se trouve d'ailleurs au 53 *ter* du quai des Grands-Augustins.

Cette station est aujourd'hui consacrée à des expositions temporaires, notamment de sculpture contemporaine, et, en mai 1977, de peinture moderne sur le thème : « L'Homme dans la ville ».

## Saint-Fargeau (Ligne 3 *bis*)

Seule station portant le nom d'un saint qui n'en soit pas vraiment un ! Il s'agit en effet d'une partie du nom de Louis-Michel Lepeletier (ou Le Peletier) de Saint-Fargeau, né à Paris en 1760 et qui possédait dans cette région est de Paris une grande propriété avec un château.

Président du Parlement de Paris, membre de la noblesse aux Etats généraux, il devint député « constituant » puis « conventionnel ». Il fit partie de ceux qui votèrent l'exécution de Louis XVI. Mal lui en prit, car un ancien garde du corps du roi, qui ne lui avait pas pardonné son vote, l'assassina à Paris en 1793.

La station présente un édicule dû à Christian Plumet, architecte (1922), qui contient, comme les stations Pelleport et Porte des Lilas sur la même ligne, la machinerie des ascenseurs, récemment rénovés.

## Saint François-Xavier (Ligne 13)

Né le 7 avril 1506 en Espagne, dans un château de la région de Navarre. De son véritable nom, Francesco de Yesu y Xavier, il est le fils cadet d'une famille de six enfants dont le père, docteur en droit de l'Université de Bologne, servait le roi Jean d'Albret. Attaché tout d'abord, à douze ans, à la Cathédrale de Pampelune proche de chez lui, il vient à Paris pour ses dix-huit ans et entre dans un collège où il sera influencé par Ignace de Loyola, futur fondateur de la Compagnie de Jésus. Il obtient une licence et devient, en 1530, professeur dans un collège parisien. Mais au cours d'un voyage à Rome en 1536, il sent monter en lui une vocation missionnaire, et, sur la requête du roi du Portugal, Jean III, il se rend en Inde en 1542, puis, à partir de 1549, dans tout l'Extrême-Orient, du Japon à la Chine, où il meurt épuisé en 1552 dans l'île de Chang-Chouen-Chan, au large de Canton.

## Saint Georges (Ligne 12)

Martyr chrétien, décapité à Lydda (Palestine), aujourd'hui Lod, près de Tel-Aviv en 303. On célébra son culte à partir de la fin du IVe siècle.

Selon la légende, alors qu'il était officier dans les armées de Dioclétien, saint Georges terrassa un dragon à qui une princesse allait être sacrifiée. Bien qu'interdite par le pape Gelase (492-496), cette croyance reste vivace de nos jours. Patron de Gênes, Barcelone et de l'Angleterre, saint Georges se fête le 23 avril.

## Saint-Germain-des-Prés (Ligne 4)

Natif de la région d'Autun (Saône-et-Loire) à la fin du V^e siècle, Germain a été conseiller du roi Childebert I^er, fils de Clovis, qui le nomma évêque de Paris en 556. Il fonda en 542 une église dédiée au diacre Vincent, martyr à Saragosse en Espagne. Très populaire de son vivant (il tenta d'arbitrer les luttes entre Brunehaut et Frédégonde) et après sa mort grâce à ses miracles. Décédé le 28 mai 576, ses reliques ont été transférées en 755 par Pépin le Bref, dans cette église qui porta désormais le nom de Saint-Germain-des-Prés, car l'église était bâtie sur des prairies allant en pente douce vers la Seine.

## Saint Jacques (Ligne 6)

Saint Jacques le Majeur, un des douze apôtres, frère de saint Jean l'Evangéliste, né à Bethsaïde, en Palestine. La tour qui porte son nom à Paris marquait une étape sur le long chemin vers le sud qui menait à Compostelle, en Espagne. Selon la légende, ses reliques seraient revenues à Saint-Jacques-de-Compostelle après sa mort à Jérusalem. Fête le 25 juillet.

Il existe aussi un saint Jacques le Mineur. Premier évêque de Jérusalem, il mourut lapidé vers 62.

## Saint Lazare (Lignes 3, 12 et 13)

Frère de Marthe et de Marie, ressuscité par Jésus (tableau du Caravage). Premier évêque de Marseille où il fut martyrisé. On l'invoquait contre la lèpre par confusion avec Lazare le Pauvre, dont Jésus parle dans sa Parabole du Mauvais Riche. Une grande léproserie de Paris, devenue ultérieurement une prison, portait son nom.

Cette station faisait partie du « Nord-Sud » concurrent du Métropolitain à ses débuts. Lors de l'inauguration de cette ligne, elle a été le cadre d'un grand buffet installé dans la célèbre rotonde de distribution des billets.

231 — PARIS. Chemin de Fer du Nord-Sud. Station souterraine circulaire de la Gare Saint-Lazare. ND Phot.

Deuxième station la plus fréquentée du réseau avec 29,9 millions de passagers, elle partage, avec Havre-Caumartin (voir cette station), la première place pour les escaliers mécaniques au nombre de onze.

## Saint-Mandé-Tourelle (Ligne 1)

Nom composé de :

A) **Saint Mandé :** ermite breton qui vécut au VIIe siècle. Ses reliques furent ramenées dans la région parisienne à l'époque où les Normands écumèrent les côtes de la Manche. Un prieuré, construit à l'endroit de sa nouvelle sépulture, donne son nom à cette partie de la banlieue sud-est de Paris;

B) et de **Tourelle :** vestige d'un ancien château ou d'une partie des communs du Château de Vincennes.

## Saint Marcel (Ligne 5)

Evêque de Paris au début du Vᵉ siècle. Il aurait chassé avec son étole un monstre installé sur les bords de la Bièvre et qui se repaissait du cadavre d'une femme enterrée là. Mort vers 440, ses reliques ont été transférées à Notre-Dame au XVIᵉ siècle.

## Saint Martin (Lignes 8 et 9)

Ancien soldat devenu moine qui parcourut l'Europe pendant tout le IVᵉ siècle, du Danube où il était né, aux rives de la Loire, à Tours, dont il devint évêque et où il mourut en novembre 397.

Surtout connu pour avoir partagé son manteau avec un pauvre, lors d'un hiver fort rigoureux, et guéri un lépreux d'un baiser.

Station fermée le 2 septembre 1939, réouverte à la Libération, puis rattachée à République (voir cette station), dont elle était très proche.

## Saint Maur (Ligne 3)

Né vers 512 à Rome, et disciple de saint Benoît, à qui il fut confié à l'âge de douze ans, ce moine sauva saint Placide (voir cette station) d'une noyade certaine, ayant reçu, du fait de son obéissance à saint Benoît, la grâce de Dieu lui permettant de marcher sur l'eau. Bien qu'ayant longtemps vécu à Montecassino en Italie où il mourut, saint Maur introduisit en France la règle bénédictine et fonda à Glanfeuil, aujourd'hui Saint-Maur-sur-Loire, près d'Angers, une abbaye où il fut inhumé en 584. Vers 886 ses reliques ont été ramenées dans la banlieue sud-est de Paris aujourd'hui Saint-Maur-des-Fossés, afin de les préserver des incursions normandes.

## Saint Michel (Ligne 4 et RER)

Archange, adversaire victorieux de Satan, il se présente comme celui qui surveille l'entrée du Paradis.

De nombreux édifices lui sont dédiés, dont un sanctuaire dans l'île de la Cité. La chapelle où Philippe Auguste fut baptisé lui était consacrée tout comme le Mont-Saint-Michel dans la Manche et le Monte San Angelo dans le massif du Gargano, en Italie. Fête le 29 septembre.

Cette station, qui possède le plus petit ascenseur du réseau, environ 8,10 m de dénivellation seulement, a été construite dans un caisson métallique rattaché à ceux qui permettent à la ligne de franchir la Seine. La RATP en envisage la décoration.

## Saint Paul

**(Le Marais)** (Ligne 1)

**Saint Paul :** apôtre du christianisme né à Tarse au début du Ier siècle, surnommé l'Apôtre des Gentils (c'est-à-dire des non-juifs), il se convertit à la suite d'une vision du Christ sur le chemin de Damas. Il fonda de nombreuses communautés chrétiennes en Orient. Arrêté à Jérusalem, il mourut à Rome vers 63. On donna son nom à l'église de la paroisse du roi, lorsque celui-ci habitait l'hôtel des Tournelles, alors situé au nord de la place des Vosges. Fête le 29 juin.

**Le Marais :** secteur de Paris couvrant en partie les IIIe et IVe arrondissements, entre la rue du Temple, les grands boulevards et les quais de la Seine. Il était à l'origine une zone de marécages en bordure du fleuve, devenu ultérieurement terrains maraîchers. Depuis le Moyen Age, quartier aristocratique et ecclésiastique, dont les nombreux hôtels : Lamoignon, de Sens, de Sully, Carnavalet, etc., sont encore les témoins. En déclin depuis le XVIIIe siècle, sa restauration a été entreprise depuis 1964. Depuis quelques années, un festival lui redonne une vie culturelle.

730. PARIS — Travaux du Métropolitain
Fonçage d'un caisson dans le grand bras de la Seine
C. M.

*Station Saint-Michel.*

Station bombardée en avril 1918. Une plaque de marbre indique, sur le quai, l'emplacement d'une partie des fondations de la Bastille (voir cette station).

## Saint-Philippe-du-Roule (Ligne 9)

Ancien village rattaché à Paris. Une maladrerie y fut fondée au début du XIIIe siècle par les employés qui fabriquaient les monnaies de cette époque. La chapelle était dédiée à saint Philippe. Originaire de Bethsaïde, en Galilée, et premier des douze apôtres, Philippe évangélisa la Phrygie et la Scythie. Il eut trois filles dont sainte Iris. Selon différentes sources, il a été crucifié la tête en bas à Gérapolis, en Asie Mineure, sous Domitien, vers l'an 90, ou mourut de mort naturelle très âgé.

## Saint Placide (Ligne 4)

Né à Rome, il vécut au VIe siècle et fut l'un des premiers disciples de saint Benoît, l'organisateur de la vie monastique en Occident. Sauvé de la noyade dans un torrent où il puisait de l'eau, au début de sa vie monastique, par saint Maur (voir cette station). Mort vers 543.

## Saint Sébastien-Froissart (Ligne 8)

Nom composé de :

A) **Saint Sébastien :** l'un des saints les plus populaires du Moyen Age, né en 250 à Narbonne, dans l'Aude. Persécuté sous l'empereur romain Dioclétien, il mourut en 288 criblé de flèches. C'est pour cette raison qu'il est devenu le patron des arquebusiers. On l'invoquait aussi contre les maladies de peau.

B) et de **Froissart** (Jean) : chroniqueur français né à Valenciennes vers 1337. Ses nombreux voyages lui ont permis d'écrire quatre livres de « Chroniques », relatant dans un langage imagé les événements de la période 1325 à 1400. L'année de sa mort reste inconnue.

## Saint Sulpice (Ligne 4)

Aumônier de Clotaire II, puis évêque de Bourges sous le règne de Dagobert. Son culte se répandit rapidement après sa mort (647) au-delà de sa province d'origine, le Berry.

## Ségur (Ligne 10)

Grande famille de militaires, diplomates, historiens et écrivains français :

A) (Philippe, Henri, marquis de) : né à Paris en 1724, mort en 1801. Maréchal de France et ministre de la Guerre de 1781 à 1787. Il se distingua aux batailles de Rancoux et de Lawfeld;

B) son fils (Louis-Philippe, comte de) : né lui aussi à Paris en 1753. Diplomate et historien, membre de l'Académie française, auteur d'un « Tableau historique et politique de l'Europe de 1786 à 1806 ». Décédé en 1830;

C) Philippe-Paul, fils du précédent : général et historien, né en 1780, auteur d'une « Histoire de Napoléon et de la Grande Armée » en 1812. Lui aussi Académicien. Mort en 1873;

D) Enfin, la plus connue, femme du précédent, Sophie Rostopchine, comtesse de Ségur : née en 1799 à Saint-Pétersbourg (Russie), fille du gouverneur de Moscou qui incendia la ville en 1812 pour en chasser les Français. Femme de lettres, auteur des fameux « Malheurs de Sophie » (1864), « Le Général Dourakine » (1866) et divers ouvrages sur et pour la jeunesse. Décédée en 1874, à Paris.

## Sentier (Ligne 3)

Ancien sentier existant dès le XVIIe siècle et qui menait aux fortifications de Paris, alors entouré de remparts. Il s'agit peut-être aussi d'une transformation populaire du mot « chantier », car existaient dans cette région des abattages d'arbres, les forêts n'ayant pas encore été submergées par les habitations.

Entrée de la station en rez-de-chaussée d'immeuble.

## Sèvres-Babylone (Lignes 10 et 12)

Nom composé de :

A) **Sèvres :** Voir Pont de Sèvres;

B) et de **Babylone :** ville antique dont les ruines au bord de l'Euphrate sont situées à 150 kilomètres environ de la ville de Bagdad en Irak.

Dans le quartier de Paris portant ce nom, l'évêque Jean Duval de Clamecy fonda en 1645 un séminaire destiné aux Missions de Perse, puis ensuite du Tonkin et d'Extrême-Orient (1663).

## Sèvres-Lecourbe (Ligne 6)

Nom composé de :

A) **Sèvres** : Voir Pont de Sèvres;

B) et de **Lecourbe** (Claude, Jacques) : général français né à Ruffey dans le Jura en 1759. Il lutta, en Suisse, contre les Russes de Souvarov (1799). Ami du général Moreau, il fut destitué par Bonaparte. Décédé en 1815 à Belfort.

*Ancien nom : Suffren* (jusqu'en 1907) (Pierre-André), bailli de l'ordre de Malte, chef d'escadre français qui se distingua aux Indes contre les Anglais, et en Amérique. Né en 1726 à Saint-Cannat, près d'Aix-en-Provence, il mourut, peut-être lors d'un duel, en 1788.

## Simplon (Ligne 4)

Col du Massif des Alpes entre les régions du Valais, en Suisse, et du Piémont, en Italie, à 2 010 mètres d'altitude.

Route militaire d'environ 70 kilomètres ouverte par Napoléon Ier de Brigue à Dommodossola.

Tunnel de près de 20 kilomètres de long percé de 1898 à 1905 aux frais de la Suisse, de l'Italie et de l'Allemagne et qui permit le passage aux trains rapides Paris - Milan et au prestigieux ex-Orient-Express, cher à Agatha Christie.

## Solférino (Ligne 12)

Cette petite ville d'Italie vécut le 24 juin 1859 la victoire des troupes françaises de Napoléon III sur les Autrichiens de François-Joseph (tableaux d'Yvon, 1861, et de Meissonnier). Cette bataille s'inscrivait dans le cadre de l'entrevue de Plombières, dans laquelle Napoléon III avait promis son soutien au Piémont contre l'Autriche. C'est au cours de cette sanglante bataille (40 000 morts) que le Suisse Henri Dunant eut l'idée d'un service de secours aux blessés (quel que soit leur camp), qui fut appelé et reste la Croix-Rouge.

## Stalingrad (Lignes 2, 5 et 7)

Ville d'U.R.S.S. située sur la Volga, anciennement Tsaritzym, aujourd'hui Volgograd, siège d'importantes usines.

Les Allemands prirent une partie de la ville en septembre 1942, y furent encerclés et assiégés pendant quatre mois au bout desquels, ils durent capituler.

*Ancien nom : Aubervilliers - Boulevard de la Villette* (jusqu'au 10 février 1946).

— **Aubervilliers** : commune de Seine-Saint-Denis dont les habitants sont les Albertivilliariens;

— **Boulevard de la Villette** (voir Porte de la Villette).

## Strasbourg-Saint-Denis
(Lignes 4, 8 et 9)

Nom composé de :

A) **Strasbourg** : capitale de l'Alsace, important port fluvial sur le Rhin et siège de nombreuses industries. C'est Louis XIV qui la rattacha en 1681, mais elle subit la domination allemande de 1870 à 1918, puis de 1940 jusqu'à sa libération par le général Leclerc, fin 1944 (voir station Porte d'Orléans). Patrie de Kellermann et de Kléber (voir aussi cette station). Sa magnifique cathédrale à un seul clocher possède une célèbre horloge animée. La rue de Paris qui porte ce nom menait à l'embarcadère de Strasbourg, aujourd'hui Gare de l'Est;

B) **Saint Denis** : premier évêque de Lutèce, arrivé vers 250 avec six autres missionnaires, envoyés par Rome afin d'évangéliser la Gaule. Les moines, chargés par le roi Dagobert de veiller sur les reliques et les tombeaux royaux de la basilique, en firent un disciple de saint Paul (voir cette station). Selon la légende, ayant subi la décollation sur la Butte Montmartre, il se serait rendu à sa sépulture, par le Chemin de Flandre, tenant sa tête entre les mains.

## Sully-Morland (Ligne 7)

Nom composé de :

A) **Sully,** Maximilien de Béthune, baron de Rosny (où il était né en 1559), duc de Sully (petite ville du Loiret à 42 kilomètres d'Orléans). Ancien compagnon de guerre d'Henri de Navarre, il devint conseiller et ministre de celui-ci lors de son accession au trône de France. Efficace surintendant des finances, il fit beaucoup pour le pays, en particulier pour l'agriculture. Ne disait-il pas : « Le labourage et le pastourage, voilà les deux mamelles dont la France est alimentée, les vrays mines et trésors du Pérou. » Après de bons et loyaux services, il se retira en 1610 pour une retraite de trente et un ans;

B) et de **Morland** (François-Louis) (1771-1805) : colonel des Chasseurs de la Garde, mort à Austerlitz (voir Gare d'Austerlitz). Son corps, placé dans un tonneau de rhum, a été ensuite conservé comme une momie à l'Ecole de médecine de Paris.

## Télégraphe (Ligne 11)

Claude Chappe, né à Brulon, dans la Sarthe, en 1763, ingénieur français, expérimenta en 1792 et 1793 le télégraphe aérien à bras mobiles, dont le principe avait été conçu par Guillaume Amontous (1663-1705). Chappe en installa un relais sur le point culminant (128 m environ) des collines de Belleville dans la propriété du sieur Le Peletier de Saint-Fargeau (voir cette station). D'autres relais étaient situés sur la colline de Montmartre, au mont Valérien et ailleurs en France. Ce dispositif permit, entre autres, d'annoncer la victoire des armées de la République.

Télégraphe est l'une des stations les plus profondes du réseau, une vingtaine de mètres, soit l'équivalent d'une maison d'habitation de sept étages. Avec « Place des Fêtes » et « Abbesses », encore plus profondes, elle fut un abri des plus sûrs lors des bombardements de la dernière guerre.

## Temple (Ligne 3)

Château des Chevaliers du Temple situé entre les rues du Temple, de Bretagne, de Picardie. Cet ordre fut dissous en 1312 par Philippe IV le Bel et ses biens transférés aux Hospitaliers.

A cet endroit s'élevait une tour dans laquelle la famille royale, Louis XVI, Marie-Antoinette, Mme Elisabeth, Mme Royale et le dauphin furent incarcérés du 13 août 1792 au 21 janvier 1793.

## Ternes (Ligne 2)

Nom provenant d'une déformation de « Villa Externa ». Il s'agissait d'une extension du domaine rural de l'Evêché de Paris, ainsi dénommé par opposition à « Villa Episcopa », maison mère des évêques. Elle dépendit au XVIe siècle de Saint-Denis puis de Neuilly et fut enfin annexée en 1860, lors du grand mouvement de rattachement de diverses communes à la ville de Paris.

## Tolbiac (Ligne 7)

Lieu mal identifié de la région de Cologne (Köln en allemand) sur le Rhin où les guerriers de Clovis battirent les Alamans en 496. Clovis y fit le vœu de se convertir au christianisme, poussé il est vrai par sa femme Clotilde, et l'évêque de Reims, Remi, qui le baptisa.

## Trinité-d'Estienne d'Orves (Ligne 12)

Nom composé de :

A) **Trinité :** église consacrée à cette union de trois entités distinctes (le Père, le Fils et le Saint-Esprit), mais ne formant cependant, dans les confessions chrétiennes, qu'un seul et même Dieu. Se fête le premier dimanche après la Pentecôte ;

B) et de **d'Estienne d'Orves** (Henri Honoré), officier de la Marine française, né en 1901 à

Verrières-le-Buisson. Ce polytechnicien organisa un réseau de renseignements en France durant la Seconde Guerre mondiale. Arrêté, après dénonciation, par les Allemands, il a été fusillé en 1941 au mont Valérien.

## Trocadéro (Lignes 6 et 9)

Fort de la baie de Cadix pris par les troupes françaises du duc d'Angoulême aux insurgés espagnols, le 31 août 1823. On donna ultérieurement son nom à un édifice de style oriental construit à Paris par Davioud et Bourdet pour l'Exposition de 1878. Démoli en 1937, il a été remplacé par l'actuel Palais de Chaillot.

Station équipée dès avant 1914 par l'un des premiers escaliers mécaniques qui subsista jusqu'en 1959 et d'une balustrade de Cassien-Bernard.

## Tuileries (Ligne 1)

Ancienne résidence des rois de France, située entre le Louvre et les Champs-Elysées. Construite sur les ordres de Catherine de Médicis sur l'emplacement d'anciennes fabriques de tuiles, d'où son nom, par Philibert Delorme à partir de 1564 et achevée entre autres par Jean Bullant. Avant la

Révolution, seuls les nobles pouvaient fréquenter ce palais et ses jardins, sauf le dimanche, où les gens du peuple étaient autorisés à entrer.

Le Palais fut incendié sous la Commune en 1871 puis démoli en 1882. Seuls subsistent les jardins très fréquentés aux beaux jours par les Parisiens.

## Vaneau (Ligne 10)

Nom d'un jeune élève de l'Ecole polytechnique ayant pris le parti des Emeutiers parisiens en 1830, après l'annonce de la fermeture de l'Ecole sur ordonnance de Charles X. Il fut tué au cours de l'attaque de la rue de Babylone (voir Sèvres-Babylone) où étaient cantonnés les gardes suisses. Transporté par des ouvriers dans un hospice proche, il a été enseveli, grâce à une collecte, avec tous les honneurs au Cimetière Montparnasse. Tous les ans, jusqu'à la guerre de 1914, une délégation d'élèves de l'Ecole venait fleurir sa tombe.

Entrée en rez-de-chaussée d'immeuble.

## Varenne (Ligne 13)

Déformation comme Grenelle (voir La Motte-Picquet - Grenelle) du mot garenne signifiant étendue de bois et de landes rassemblant des terriers de lapins sauvages. Cette garenne était située sur le territoire du fief de Saint-Germain-des-Prés (voir cette station).

Station fermée au cours de la Seconde Guerre mondiale, réouverte en 1962 et personnalisée en 1978 à l'aide de reproductions, de sculptures : « Le Penseur », « Balzac » », « Victor Hugo »; d'aquarelles, de dessins et de photos ayant trait à l'œuvre de Rodin dont le musée, situé dans l'Hôtel Biron, est desservi par la station. L'exposition permanente consacrée à cet artiste se trouve sur le quai central de cette station à trois voies.

# Vaugirard

**(Adolphe-Chérioux)** (Ligne 12)

**Vaugirard :** nom d'une ancienne localité, annexée à Paris en 1860 au XV^e^ arrondissement.

Anciennement Val Gérard, puis Val Girard, du nom de Gérard de Moret, abbé de Saint-Germain-des-Prés (voir cette station) dont cette région dépendait;

**Adolphe Cherioux :** conseiller municipal du XV^e^ arrondissement né en 1847, mort en 1934.

## Vavin (Ligne 4)

Alexis, homme politique français né à Paris en 1792. Notaire, il fut élu député de Paris en 1839 contre Boulay de La Meurthe. Il fit ensuite partie de l'Assemblée constituante de 1848, puis de l'Assemblée législative. Il demeura favorable à la monarchie et protesta contre le coup d'Etat de Napoléon III.

## Victor Hugo (Ligne 2)

Célèbre écrivain français, né à Besançon, dans le Doubs, en 1802, fils d'un général de Napoléon Ier. Décédé à Paris en 1885, il eut droit à des obsèques nationales, et fut le premier homme célèbre dont le corps repose au Panthéon.

La vie de celui qui voulait « être Chateaubriand ou rien » fut tout entière consacrée à l'écriture : poésies (« Odes et Ballades », « Les Feuilles d'automne », 1831); drames (« Ruy Blas », 1838, « Hernani »); romans (« Notre-Dame de Paris », 1831). Il réalisa aussi de nombreux dessins. Député en 1848, il s'exila après le coup d'Etat du 2 décembre 1851 à Guernesey où il fit paraître notamment « Les Châtiments » (1853) et « Les Misérables » (1862). Il revint à Paris au moment de la guerre de 1870, afin de poursuivre sa grande œuvre romantique.

## Villiers (Lignes 2 et 3)

Nom d'un village rattaché à Paris. De nombreuses autres communes de la région parisienne portent aussi ce nom : Villiers-le-Bel, Villiers-sur-Marne, etc.

## Volontaires (Ligne 12)

En 1822, des riverains continuèrent de percer eux-mêmes une impasse déjà existante, la transformant ainsi en rue débouchant dans celle de Vaugirard, d'où le nom, tout d'abord, de Ruelle Volontaire. Le « s » fut ajouté ensuite en hommage aux soldats volontaires de l'an II de la Révolution, qui allèrent combattre l'ennemi extérieur.

## Voltaire

**(Léon-Blum)** (Ligne 9)

**Voltaire** (François-Marie Arouet, dit) : écrivain et philosophe français, né et mort à Paris

(1694-1778). Après la publication de ses « Lettres philosophiques » (1734), il doit « s'exiler » à Cirey chez Mme du Châtelet. « Revenu en Cour » onze ans plus tard, il séjourne de 1750 à 1753 auprès du roi Frédéric II de Prusse, puis il s'installe « Aux Délices », près de Genève, et enfin, à partir de 1759, dans sa propriété de Ferney proche de la frontière suisse. De nos jours, le village porte d'ailleurs le nom de Ferney-Voltaire.

Directeur un moment de l'Académie Française, il s'essaya dans divers genres littéraires : l'épopée, « La Henriade » (1723); la tragédie : « Zaïre » (1732); l'histoire : « Le Siècle de Louis XIV » (1751); le conte philosophique : « Zadig » (1747), « Micromegas » (1752), « Candide » (1759). Il essaya aussi de réhabiliter les victimes de certaines erreurs judiciaires, comme Calas;

**Léon Blum** : l'un des dirigeants du Parti socialiste, fondateur du Front populaire. Président du Conseil en 1936 et en 1946, poste dont il démissionnera le 16 janvier 1947. Déporté en Allemagne en 1943, il meurt en 1950 à Jouy-en-Josas. Il était né à Paris en 1872.

Cette station fut l'une des trois premières à être en 1974 rénovée à l'aide de carreaux de couleur.

## Wagram (Ligne 3)

Village d'Autriche proche de Vienne, où les troupes de Napoléon Ier vainquirent celles de l'archiduc Charles, le 6 juillet 1809. Tableau de Horace Vernet (1836).

# Classement par thèmes

1. *Le classement est effectué par ordre alphabétique du nom* complet *de la station.* Exemple : *Louise-Michel à L et non à M.*

2. *Cette liste comprend les* anciennes appellations *des stations.*

3. *Les noms composés ont été séparés.*

## Personnages

### *Personnages historiques classés par fonction*

A. — *Chefs d'Etat, ministres, diplomates, députés, hommes politiques*

1. *Adolphe Chérioux*
2. *Balagny*
3. *Barbès*
4. *Caulaincourt*
5. *Charles de Gaulle*
6. *Clemenceau*
7. *Edgar Quinet*
8. *Félix Faure*
9. *Gambetta*
10. *Georges Mandel*
11. *Jaurès*
12. *Jules Joffrin*
13. *Ledru-Rollin*
14. *Léon Blum*
15. *Le Peletier*
16. *Louis Blanc*
17. *Louise Michel*
18. *Maine*
19. *Marcel Sembat*
20. *Martin Nadaud*
21. *Marx Dormoy*
22. *Mirabeau*
23. *Philippe Auguste*
24. *Raspail*
25. *Richelieu*
26. *Robespierre*
27. *Sabin*
28. *Sully*
29. *Torcy.*
30. *Vavin*

B. — *Militaires (maréchaux, généraux, colonels, amiraux...)*

1. *Cambronne*
2. *Caulaincourt*
3. *Charles de Gaulle*
4. *Daumesnil*
5. *de La Rapée*
6. *De Lattre de Tassigny*
7. *d'Estienne d'Orves*
8. *Drouot*
9. *Dugommier*
10. *Duroc*
11. *Exelmans*
12. *Faidherbe*
13. *Gallieni*
14. *Hoche*
15. *Juin*
16. *Kléber*
17. *La Motte-Picquet*
18. *Latour-Maubourg*
19. *Laumière*
20. *Leclerc*
21. *Lecourbe*
22. *Lourmel*
23. *Marceau*
24. *Marbeuf*
25. *Mazas*
26. *Michel Bizot*
27. *Molitor*
28. *Morland*
29. *Mouton-Duvernet*
30. *Pelleport*
31. *Rochereau*
32. *Ségur*

C. — *Magistrats*

1. *Caumartin*
2. *Malesherbes*
3. *Miromesnil*

D. — *Résistants*

1. *Charles Michels*
2. *Colonel Fabien*
3. *Corentin Cariou*
4. *Corentin Celton*
5. *Guy Môquet*
6. *Jacques Bonsergent*

### E. — *Divers (prévôts, préfets, administrateurs)*

1. *Bérault*
2. *Dupleix*
3. *Etienne Marcel*
4. *Félix Eboué*
5. *Le Peletier*
6. *Rambuteau*
7. *Suffren*

## **Ecrivains et artistes**

### A. — *Ecrivains*

1. *Alexandre Dumas*
2. *Anatole France*
3. *Courteline*
4. *Diderot*
5. *Emile Zola*
6. *Froissart*
7. *Goncourt*
8. *Jasmin*
9. *Victor Hugo*
10. *Wilhem*
11. *Voltaire*

### B. — *Peintres, sculpteurs, musiciens*

1. *Auber*
2. *Falguière*
3. *Pigalle*
4. *Pleyel*

## **Personnages religieux**

### A. — *Saints*

1. *Ambroise*
2. *Augustin*
3. *Cloud*
4. *Denis*
5. *François Xavier*
6. *Georges*
7. *Germain*
8. *Jacques*
9. *Lazare*
10. *Mandé*

11. *Marcel*
12. *Martin*
13. *Maur*
14. *Michel*
15. *Ouen*
16. *Paul*
17. *Philippe du Roule*
18. *Placide*
19. *Sébastien*
20. *Sulpice*

B. — *Cardinaux, moines, congrégations*

1. *Abbesses*
2. *Cardinal Lemoine*
3. *Filles du Calvaire*
4. *Mabillon*
5. *Maubert*
6. *Père Lachaise*
7. *Pernety*
8. *Picpus*
9. *Richelieu*
10. *Rochechouart*

**Hommes de sciences et techniques**

A. — *Mathématiciens, physiciens, chimistes*

1. *Balard*
2. *Cadet*
3. *Monge*
4. *Pasteur*
5. *Pierre Curie*
6. *Raspail*
7. *Réaumur*

B. — *Naturalistes, agronomes*

1. *Brochant*
2. *Daubenton*
3. *Jussieu*
4. *Lamarck*
5. *Parmentier*

C. — *Médecins*

1. *Chardon Lagache*
2. *Corvisart*
3. *Henri Mondor*

D. — *Ingénieurs*

1. *Bréguet*
2. *Bienvenüe*
3. *Riquet*
4. *Vaneau*

**Industriels, hommes d'affaires, commerçants**

1. *André Citroën*
2. *Boucicaut*
3. *Chaligny*
4. *Lancry*
5. *Lenoir*
6. *Oberkampf*
7. *Péreire*
8. *Richard*

**Etrangers célèbres**

1. *Bolivar*
2. *Botzaris*
3. *Franklin D. Roosevelt*
4. *Garibaldi*
5. *George V*
6. *Michel-Ange*
7. *Ranelagh*

# Noms de lieux

## Monuments

A. — *Civils et militaires*
(*châteaux, ponts, prisons, divers*)

*a*) Châteaux, palais :

1. *Château de Vincennes*
2. *Châtelet*
3. *Hôtel de Ville*
4. *Louvre*
5. *Palais-Royal*
6. *Tuileries*

*b*) Prisons :

1. *Bastille*
2. *Mazas*
3. *Temple*

*c*) Manufactures :

1. *Les Gobelins*
2. *Sèvres*

*d*) Ecoles :

1. *Arts et Métiers*
2. *Ecole militaire*

*e*) Hôpitaux, hospices :

1. *Corentin Celton*
2. *Invalides*
3. *Petits-Ménages*

*f*) Ponts :

1. *Au change*
2. *de Flandre*
3. *de Levallois*
4. *de Neuilly*
5. *de Sèvres*
6. *Marie*
7. *Neuf*
8. *Notre-Dame*
9. *Sully*

*g*) Gares :

1. *de l'Est*
2. *de Lyon*
3. *d'Orléans-Austerlitz*
4. *du Nord*

*h*) Divers :

1. *Arsenal*
2. *Bourse*
3. *Chambre des Députés*
4. *Château d'eau*
5. *Château Rouge*
6. *Les Halles*
7. *Mutualité*
8. *Opéra*
9. *Quai de la Gare*
10. *Reuilly*
11. *Rue de la Pompe*
12. *Télégraphe*
13. *Ternes*

*i*) Portes et mairies (voir ci-après au nom de la localité).

B. — *Monuments religieux (églises, abbayes...)*

1. *Bonne Nouvelle*
2. *Cluny*
3. *Croix-Rouge*
4. *Eglise d'Auteuil*
5. *Eglise de Pantin*
6. *Madeleine*
7. *Maison-Blanche*
8. *Notre-Dame-de-Lorette*
9. *Notre-Dame-des-Champs*
10. *Port-Royal*

### *Villages, villes, lieux-dits, sites naturels français*

A. — *Villages et communes*

Certains ont été rattachés à Paris au XIXᵉ siècle et constituent des quartiers. D'autres font partie de la proche ou plus lointaine banlieue desservie par le métro.

1. *Aubervilliers*
2. *Auteuil*
3. *Bagnolet*
4. *Becon-(les-Bruyères)*
5. *Belleville*
6. *Bercy*
7. *Billancourt*
8. *Buzenval*
9. *Charenton*
10. *Charonne*
11. *Châtillon*
12. *Choisy*
13. *Clichy*
14. *Clignancourt*
15. *Courcelles*
16. *Créteil*
17. *Grenelle*
18. *Issy*
19. *Ivry*
20. *Javel*
21. *La Chapelle*
22. *Les Lilas*
23. *Levallois*
24. *Ménilmontant*
25. *Monceau*
26. *Montmartre*
27. *Montreuil*
28. *Montrouge*
29. *Neuilly*
30. *Pantin*
31. *Passy*
32. *Plaisance*
33. *Pré-Saint-Gervais*

34. *Saint-Cloud*
35. *Saint-Denis*
36. *Saint-Ouen*
37. *Sentier*
38. *Sèvres*
39. *Vanves*
40. *Varenne*
41. *Vaugirard*
42. *Villette*
43. *Villiers*
44. *Vincennes*

B. — *Villes*

1. *Havre (Le)*
2. *Orléans*
3. *Verdun*
4. *Versailles*
5. *Strasbourg*

C. — *Lieuxdits*

1. *Alésia*
2. *Beaugrenelle*
3. *Bel-Air*
4. *Blanche*
5. *Boissière*
6. *Boulets*
7. *Buttes-Chaumont*
8. *Censier*
9. *Champerret*
10. *Champs-de-Mars*
11. *Château-Landon*
12. *Chaussée-d'Antin*
13. *Chemin-Vert*
14. *Cité*
15. *Cité Universitaire*
16. *Combat*
17. *Concorde*
18. *Couronnes*
19. *Croix-de-Chavaux*
20. *Denfert*
21. *Etoile*
22. *Gaîté*
23. *Glacière*
24. *Halles-aux-Cuirs*
25. *La Défense*
26. *La Fourche*
27. *Le Marais*
28. *La Muette*
29. *Les Sablons*
30. *Maillot*
31. *Maraîchers*
32. *Marcadet*
33. *Montgallet*
34. *Montparnasse*
35. *Picpus*
36. *Place des Fêtes*
37. *Poissonnières*
38. *Poissonniers*
39. *Porte Dauphine*
40. *Porte Dorée*
41. *Rue du Bac*
42. *Tolbiac*
43. *Volontaires*

D. — *Sites naturels*

1. *Avron*
2. *Ourcq*
3. *Pyrénées*
4. *Simplon*
5. *Vallier*

**Etranger : villes, pays et divers**

A. — *Villes (souvent lieu de victoires françaises)*

1. *Alma*
2. *Anvers*
3. *Austerlitz*
4. *Babylone*
5. *Berlin*
6. *Bir-Hakeim*
7. *Campo-Formio*
8. *Iéna.*
9. *Liège*
10. *Rome*
11. *Sébastopol*
12. *Solférino*
13. *Stalingrad*
14. *Wagram*

B. — *Pays*

1. *Allemagne*
2. *Argentine*
3. *Italie*
4. *Europe*
5. *Luxembourg*

C. — *Fleuves, monuments, sites naturels étrangers, divers*

1. *Crimée*
2. *Danube*
3. *Flandre*
4. *Jourdain*
5. *Obligado*
6. *Pyramides*
7. *Trocadéro*

# Divers

## *Mythologie, dates historiques, concepts*

1. *Champs-Elysées*
2. *Chevaleret*
3. *Commerce*
4. *Convention*
5. *Liberté*
6. *Nation*
7. *Nationale*
8. *Odéon*
9. *Place du 25 août*
10. *Quatre-Septembre*
11. *République*
12. *Trinité*

# Bibliographie sommaire

## Ouvrages sur le métro proprement dit

Il existe, bien sûr, de nombreux livres et documents traitant des transports parisiens en général et incluant bien entendu le métro, ainsi que des ouvrages antérieurs à la Seconde Guerre mondiale et des romans tel le fameux « Zazie dans le métro » de Raymond Queneau. Nous ne les mentionnerons pas ici.


— *Le Métro,* R.A.T.P. Relations extérieures, 1978.

— *Paris-Métro,* ouvrage collectif, Editions du Dauphin, 1975.

— *Notre métro,* J. Robert, 1983.

— *Les Mémoires du métro,* R.H. Guerrand, La Table ronde, 1961 (contient une bibliographie plus complète que celle-ci).

— *Le Métro de Paris, La Documentation française illustrée,* n° 129, 1957.

— *Le Métropolitain,* Encyclopédie par l'image, Hachette, 1950.

— *Le Cinquantenaire du métro de Paris,* collectif R.A.T.P., 1950.

— *Les Saints du métro,* René Vielliard, Editions Alsatia, 1949.

— *Les Ouvrages du Métropolitain de Paris,* H. Clément, 1947-1948, 2 vol.

## Ouvrages sur Paris et ses rues

— *Nomenclature des voies publiques et privées,* Ville de Paris, 1972.

— *Promenade dans les rues de Paris,* Rochegude Clébert, Editions Denoël, 4 tomes.

— *Dictionnaire historique des rues de Paris,* J. Hillairet, Editions de Minuit.

— *Dictionnaire des noms de rues,* B. Stéphane-Mengès.

— *Guide bleu,* Paris, Hachette.

— *Guide vert,* Paris, Michelin.

— *Paris aux cent villages* (Revue), Ed. P.C.V. puis Ed. Voudiez, et Connaissance de la cité.

## Chez le même éditeur

— *Paris vu du bus* par Guillaume Dauteyrac, 1991.

G. Da[illegible]rat

# PARIS VU DU BUS

Le guide des lignes pour visiter Paris

# Table des matières



Achevé d'imprimer par Corlet, Imprimeur, S.A.
14110 Condé-sur-Noireau (France)
N° d'Imprimeur : 4123 - Précédent dépôt : mai 1987
Dépôt légal : février 1992
*Imprimé en C.E.E.*